Arriver à New York

Depuis John F. Kennedy (JFK)

À 24 km au sud-est de Manh[...]
☎ 718 244 4444.
Shuttle (navette) – Rejoig[...]
service *Ground Transportation*[...]
hall du terminal d'arrivée, où [...]
vous guidera. Comptez 18 à 20 $ par
personne (45mn à 1h de trajet).
Taxi – Prix fixe pour Manhattan, sans
péage (4-6 $) ni pourboire (15 %) : 45 $.
Durée : env. 30-40mn.
Bus express (NY Airport Service) –
Il relie, toutes les 20 à 30mn, l'aéroport
aux trois gares new-yorkaises : Penn
Station, Port Authority et Grand Central.
À Grand Central, une navette est à la
disposition des clients des hôtels de
Midtown (entre 31st et 60th Sts). Comptez
15 $ pour 1h à 1h30 de trajet.

[...]rminal, suivez
[...]vous allez
[...]hattan ou
[...]gnez la
[...]a **ligne A**.
[...]wn, de West
[...]...ntown et du Queens,
gagnez la station Jamaica Center et
prenez la **ligne E.** Air Train : 5 $; métro :
2,25 $.

Depuis LaGuardia (LGA)

À 13 km à l'est du centre-ville -
☎ 718 533 3400.
Shuttle (navette) – Rejoignez le
service *Ground Transportation* dans le
hall de votre terminal : un agent vous
indiquera le point de départ de la
navette. Comptez 13 à 15 $ par personne
(30 à 45mn de trajet).
Taxi – 25-30 $ pour Manhattan (sans
péage ni pourboire). Durée : 30mn.
Bus express (NY Airport Service) –
Mêmes conditions de transport qu'avec
le bus express de JFK. 12 $.

Depuis Newark (EWR)

À 26 km au sud-ouest de Manhattan,
dans le New Jersey (comptez 45mn
à 1h de trajet) - ☎ 973 961 6000.
Taxi – 50-70 $ sans pourboire (15 %), ni
le surcoût de 5 $ aux heures de pointe.
Train – Suivez les panneaux Air Train.
Ce monorail permet d'accéder aux
trains reliant Newark à New York (Penn
Station). Billet combiné Air Train + New
Jersey Transit : 14 $.

BUS ET MÉTRO
➜Horaires : llj 24h/24h.
➜Forfaits les plus intéressants :
One-Day Fun Pass (1 j.) – Trajets
illimités métro/bus jusqu'à 3h du
matin - 8,25 $.
Pay-Per-Ride MetroCard – Carte
rechargeable (de 8 à 80 $) - transfert
gratuit métro-bus et bus-bus
- 2,25 $ le trajet, bonus de 15 % à
partir de 8 $ (par ex., 11 trajets pour
le prix de 10).
**7-Day Unlimited Ride Metro-
Card (7 j.)** – Trajets illimités - 27 $.

1

Vue aérienne de New York.

Jon Arnold / he

Destination New York

Préparez votre voyage

Votre séjour de A à Z

Agenda culturel

Préparez votre voyage

Formalités d'entrée

Pièce d'identité – Pour entrer aux États-Unis sans visa, il vous faut impérativement un passeport à **lecture optique** délivré avant le 26 octobre **2005** ou un passeport **biométrique** émis après le 26 octobre **2006**. Dans tous les autres cas, l'obtention du visa est obligatoire. Si vous avez un doute, consultez le site de l'ambassade des États-Unis (http://french.France. usembassy.gov).

Visa – Si vous possédez un passeport agréé et séjournez pour affaire ou loisir **moins de trois mois**, le visa n'est pas nécessaire. Il est obligatoire dans le cas contraire et si votre séjour prévoit l'exercice d'une activité professionnelle. Depuis janvier 2009, il est également obligatoire, pour les voyageurs sans visa, de remplir au plus tard 72 heures avant le départ un **questionnaire électronique** (santé, passé pénal, etc.) disponible sur le site de l'ambassade.

Douane – Armes, drogues, produits végétaux et biologiques, viande ainsi que certains médicaments ne peuvent être introduits sur le territoire américain. Sont autorisés : 1 litre d'alcool (pour les majeurs de 21 ans), 200 cigarettes, 50 cigares ou 2 kg de tabac à fumer. Les cadeaux éventuels doivent représenter une somme inférieure à 100 $ (conservez vos factures).

Autres pièces à fournir – Un **billet aller-retour**, avion ou bateau, et une **adresse** de séjour. Sinon vous risquez d'être refoulé.

Se rendre à New-York

Pour en savoir plus sur les aéroports, voir le chapitre « Arriver à New York » (p. 1).

LES COMPAGNIES RÉGULIÈRES
Air France – ✆ 36 54 - www.airfrance.fr.
American Airlines – ✆ 01 55 17 43 41 - www.americanairlines.fr.
Continental Airlines – ✆ 01 71 23 03 22/35 - www.continental. com.
Delta Airlines – ✆ 0 811 640 005 - www.delta.com.
KLM – ✆ 0 892 70 26 08 - www.klm. com.

AGENCES LOW COST
Les voyagistes comparent les tarifs des compagnies et proposent vols secs et séjours discount.
E-Dreams – ✆ 0 821 230 135 - www.edreams.fr.
Anyway – ✆ 0 892 302 301 - www.anyway.com.
Expedia – ✆ 0 892 301 300 - www.expedia.fr.
Go Voyages – www.govoyages.com.
Lastminute.com – ✆ 04 66 92 30 29 - www.fr.lastminute.com.
Easy Vols – ✆ 0 899 700 207 - www. easyvols.fr. Ce comparateur recroise les résultats de différents voyagistes, offrant l'assurance des prix les plus bas.

Argent

Le **dollars** ($) se divise en 100 **cents**. Il existe des billets de 1, 5, 10, 50 et 100 $, des pièces de 1, 5, 10, 25 et 50 cents. Un *dime* vaut 10 cents, un *quarter* 25 cents. Taux de change : environ 1 $ pour 0,71 € (novembre 2010).

Cartes de crédit – Acceptées, sans seuil de paiement. Le taux de change appliqué est celui du jour de la transaction ; une commission s'ajoute à chaque utilisation.

Chèques de voyage – Il est conseillé de se procurer des chèques de 20 $ maximum. Mêmes taux de change et commission que pour les cartes.

Distributeurs de billets (ATM) – Présents partout, y compris dans les petits commerces, ils appliquent le taux de change du moment de la transaction, et prélèvent une commission forfaitaire. Il est plus rentable de retirer une grosse somme que plusieurs petites.

Ⓒ *Perte de cartes : voir l'encadré « Pas de panique ! » p. 6.*

Saisons

New York jouit d'un climat continental tempéré, plutôt humide, caractérisé par une amplitude thermique élevée.

Été – Les températures moyennes tournent autour de 30 °C la journée, un peu en dessous de 20 °C la nuit.

Hiver – Froid et humide avec quelques belles journées ensoleillées. Si, de décembre à février, les températures chutent souvent au-dessous de 0 °C, l'hiver n'est vraiment rude que lorsque souffle le blizzard, accompagné de fortes chutes de neige.

Printemps et automne – Douces, les températures oscillent entre 15 et 25 °C.

Précipitations – Réparties sur l'année ; il vaut mieux prévoir un parapluie.

Palmarès des saisons – Mercure à 25 °C, ciel azur : beaucoup élisent la transition mai-juin comme la période la plus agréable de l'année. L'**automne** aussi peut être magnifique : parcs et jardins prennent à cette époque les couleurs rouge et or de l'été indien. C'est alors le début de la saison culturelle, du shopping et des fêtes (Halloween, Thanksgiving). Durant l'**hiver**, les festivités continuent avec Noël et le Premier de l'an à Times Square.

Pour en savoir plus

Sites Internet :
Office de tourisme : www.nycvisit. com.
Ville de New York : www.nyc.gov.
Hébergement, informations générales : www.citysearch.com, www. newyorknetguide.com.
Restaurants, agenda des sorties : www.timeoutny.com, www.nymag.com, www.nytimes.com, www.villagevoice.com.

Offices de tourisme :
NYC Official Visitor Information Center – 810, 7th Ave., entre 52nd et 53rd Sts - ☎ 212 484 1200 - tlj 8h30-18h (17h le w.-end).
Times Square Visitor Center – 1560 Broadway, entre 46th et 47h Sts - ☎ 212 768 1560 - tlj 8h-20h - fermé 25 déc. et 1er janv.
City Hall Park Visitor Information Kiosk – Pointe sud de City Hall Park - tlj 9h (10h le w.-end)-18h.
Harlem Visitor Information Center Kiosk – Chez Nubian Heritage, 2037, 5th Ave. (angle 126th St.) - tlj 10h-18h.

5

Votre séjour de A à Z

Ambassades

Consulat de France – 934, 5th Ave., entre 74th et 75th Sts - ☎ 212 606 3600 - www.consulfrance-newyork.org.
Consulat de Belgique – Dag Hammarskjöld Plaza, 885, 2nd Ave. - ☎ 212 378 6300 - www.diplomatie. be/newyorkun.
Consulat de Suisse – 633, 3rd Ave. - ☎ 212 599 5700 - www.swissemb.org.

Banques

Très dense, le réseau bancaire assure la présence de nombreux distributeurs. ☙ *Voir les rubriques « Argent » (p. 4) et « Horaires » (p. 8).*

Bateau

En Water Taxi
Les vedettes jaunes du New York Water Taxi vous transportent sur l'Hudson et l'East River, autour de la moitié sud de Manhattan. Côté **East River**, la ligne fonctionne toute l'année comme un transport en commun, de 6h30 à 20h : les embarcadères se trouvent à la 34th Street, au Schaefer Landing (Williamsburg), au Fulton Ferry Landing (DUMBO), à South Street Seaport et au Pier 11 (Wall Street). Côté **Hudson River**, ils fonctionnent de mai à mi-octobre : arrêts à Battery Park (Slip 6), au World Financial Center, au Pier 45 (Greenwich Village), au Pier 63 (West 23rd Street) et au Pier 84 (West

44th Street). Une liaison saisonnière est assurée entre Red Hook, le Pier 11 (Wall Street) et le World Financial Center. Le ticket coûte de 3 $ à 6 $ selon la longueur du trajet. Le Pass Hop-on/Hop-off, à 20 $ pour un jour, est valable pour un nombre illimité de trajets.
Renseignements : ☎ 212 742 1969 - www.nywatertaxi.com.

Les autres lignes maritimes
Pour Staten Island, le ferry (gratuit) part de South Ferry Battery Park. ☙ *Voir aussi p. 52.*

Décalage horaire

New York, qui vit à l'heure de l'Eastern Stantard Time (EST), en avance de **6h** sur Paris, Berne et Bruxelles : quand il est midi en France, il est 6h du matin de l'autre côté de l'Atlantique. L'heure n'est chiffrée que de 0 à 12, suivie des

---

PAS DE PANIQUE !
Appel d'urgence européen :
☎ 112.
Pompier, police, ambulance 24h/24 : ☎ 911.
Médecins 24h/24 :
☎ 1 800 468 3537.
SOS dentiste : ☎ 212 998 9458 (semaine) ou 9828 (week end).
Perte cartes bancaires :
Amex : ☎ 33 1 47 77 72 00.
Eurocard et Visa : ☎ 1 800 847 2911.
Master Card : ☎ 1 636 722 7111.

LE**GUIDE**VER**T**
toujours plus de destinations
à travers le monde...

lettres « am » *(ante meridiem)* le matin, et « pm » *(post meridiem)* l'après-midi. Le passage à l'heure d'été se fait le premier dimanche d'avril, et celui à l'heure d'hiver le dernier dimanche d'octobre.

Électricité

Les prises américaines sont différentes des prises françaises : achetez des adaptateurs (vendus dans les aéroports). Courant à 110 volts.

Horaires

Administrations, banques et services publics (hormis les urgences) sont fermés les jours fériés.
Magasins – Du lundi au samedi de 10h à 18h, parfois jusqu'à 21h le jeudi. Les grands magasins assurent des heures d'ouverture le dimanche. Les épiceries sont souvent ouvertes 7j./7 de 10h à 22h ou plus, ainsi que les drugstores. Diamantaires et commerces juifs sont fermés le samedi.
Banques – Ouvertes du lundi au vendredi de 9h à 15h30, parfois le samedi de 9h à 12h.
Pharmacies – L'enseigne Duane Reade, la plus répandue, est ouverte 24h/24.
Poste – Du lundi au vendredi de 8h30 à 17h ou 18h, et samedi matin (horaires variables). Le Central Post Office (441, 8th Ave.) reste ouvert 24h/24.

Internet

Les cybercafés sont rares, mais de nombreux lieux publics, cafés et bars proposent la connexion Wi-Fi, qui équipe également la plupart des hôtels.

Jours fériés

New Year's Day : 1er janvier.
Martin Luther King Jr.'s Birthday : 3e lundi de janvier.
Presidents Day : 3e lundi de février.
Memorial Day : dernier lundi de mai.
Independence Day : 4 juillet.
Labor Day : 1er lundi de septembre.
Colombus Day : 2e lundi d'octobre.
Veterans Day : 11 novembre.
Thanksgiving Day : 4e jeudi de novembre.
Christmas Day : 25 décembre.

Poste

Votre courrier nécessitera une semaine environ pour arriver en Europe. Prévoyez 0,98 $ le timbre pour une carte postale ou pour une lettre (28 g maximum).
ċ *Voir la rubrique « Horaires » ci-contre.*

Pourboire

Sauf service inclus (cas très rares), on laisse au restaurant entre 15 % et 25 % de la note. Dans les hôtels, donnez au porteur 1 $ par bagage, et, pour la femme de chambre, la somme de votre choix laissée dans une enveloppe. Attention, quand le pourboire est inclus, son montant est indiqué par un faux ami : *gratuity*.

Presse

Quotidien – Le *New York Times*, grand titre new-yorkais, présente, chaque vendredi, le programme des sorties et divertissements.

8

Magazines – *Time Out New York* et *New York Magazine*, hebdomadaires au goût du jour (publiés le mardi), recensent sorties et derniers endroits à la mode. *The Newyorker*, quant à lui, est célèbre pour la qualité et l'acidité de son style, et pour ses positions démocrates.

Presse internationale – Disponible au Universal News & Café (977, 8th Avenue).

Restauration

On mange à toute heure à New York : petit-déjeuner *(breakfast)* robuste dès 7h et déjeuner léger *(lunch)* pris sur le pouce, le dîner *(dinner)* restant le repas principal de la journée (jusqu'à 23h). Le week-end, le **brunch** sert de petit-déjeuner et de déjeuner (entre 10h et 16h). Des petits stands à bretzels ou à hot dogs, des fast-foods (5 à 8 $) ou des snacks de cuisine ethnique (indienne ou mexicaine, à moins de 20 $) on passe aux **restaurants**, divisés en trois catégories : les restaurants exotiques, les établissements de cuisine populaire américaine et les tables gastronomiques (plus de 60 $). Il existe des formules (*Early Bird* ou *Pre-Theater Menu*) servies tôt le soir, entre 17h et 19h ou 19h30 : vous dînez alors pour moins de 30 $. Les **boissons** sont chères (sauf Coca-Cola et Ice Tea), en particulier les vins, proposés au verre (8 à 15 $). N'oubliez pas de rajouter la taxe (8,65 %) et le pourboire (15-25 %). Lorsque vous entrez dans un restaurant, attendez d'être placé. En partant, vous pouvez emporter vos restes ou votre bouteille. Il est interdit de fumer dans les restaurants et les bars. La plupart des **épiceries** ont un rayon traiteur en libre-service, proposant salades ou plats chauds (5 à 6 $).

Voir la rubrique « Pourboire » p. 8 et « Nos adresses/Se restaurer » p. 24.

Savoir-vivre

Les Américains se serrent la main et se donnent l'accolade (ils ne s'embrassent pas). Les effusions amoureuses restent très discrètes dans les lieux publics. En se croisant, on peut se saluer d'un « Hello ! » ou « Hi ! » Quand vous êtes invité à dîner, arrivez plutôt à 19h qu'à 20h30, car on dîne tôt aux États-Unis. Ne vous offusquez pas si votre hôtesse n'ouvre pas votre cadeau, cela fait partie du code des bonnes manières américaines. En revanche, si c'est une bouteille de vin, elle sera consommée sur-le-champ. Au restaurant, les convives se partagent la note. Si vous êtes invité, à vous de payer le pourboire. Les tenues débraillées sont assez mal vues le soir. À table, les convives gardent la main gauche sur les genoux et ne la placent sur la table que quand ils en ont besoin. Évitez de fumer quand vous êtes invité chez quelqu'un, sauf si votre hôte vous le propose. Attention aux sujets qui fâchent (religion, politique). Si vous devez faire la queue, ne cherchez pas à gagner quelques places. Et dans un magasin ou à la poste, attendez dans la file que l'on vous appelle (la caissière criera « Next ! »).

Tabac

Il est strictement interdit de fumer dans les transports et lieux publics. Les cigarettes, chères, s'achètent dans les drugstores, les épiceries et les kiosques. Leur prix varie en fonction des quartiers.

Taxes

Attention, les prix sont toujours donnés hors taxes (y compris dans ce guide). Taxe + pourboire gonflent l'addition de 25 à 30 %. Dans les hôtels, la taxe est de 13,25 %. Pour les restaurants et tous les autres produits et services (déco, location de vélos, etc.), elle est de 8,65 %. Pour les vêtements, pas de taxe en dessous d'un montant total de 110 $.

Taxi

Les taxis jaunes sont équipés d'un compteur. La prise en charge initiale est de 2,50 $, puis 0,40 $ par 1/5 de mile (soit environ 4 blocs), ou 0,40 $ par minute à l'arrêt lors des embouteillages. De 20h à 5h du matin, on vous facturera 0,50 $ supplémentaire. Les péages des ponts et des tunnels sont à votre charge. Comptez en plus un pourboire (non obligatoire mais recommandé) de 10 à 15 %. Le prix est le même quel que soit le nombre de passagers (4 au maximum). Pour héler un taxi, levez le bras. Si le numéro lumineux sur le toit est allumé, le taxi est libre. Dites au chauffeur entre quelles rues ou près de quel croisement se trouve votre adresse. Le site **www.nyccabfare.com** permet d'estimer le prix d'une course en taxi si vous indiquez l'adresse de départ et l'adresse d'arrivée.
⚫ *Voir aussi « Arriver à New York » p. 1.*

Téléphone

De l'étranger vers New York
Pour appeler à New York, composez le 1 suivi de l'indicatif, puis les 7 chiffres du numéro du correspondant. Pour Manhattan, l'indicatif est 212, 646 ou 917. Pour les autres *boroughs* (Brooklyn, Bronx, Queens et Staten Island), c'est le 718. Les numéros précédés de 1-800, 1-888 ou 1-877 sont gratuits *(toll-free)*, mais uniquement à l'intérieur des États Unis.

De New York vers l'étranger
Pour appeler l'Europe, composez le 011 suivi de l'indicatif du pays (France 33, Belgique 32, Suisse 41), puis le numéro du correspondant sans le 0 initial. Pour obtenir l'aide d'une opératrice (en anglais), passez par le 0. On peut téléphoner en PCV depuis une cabine : faites le 0 pour l'opérateur, demandez un *collect call* ou *reverse charge call* et donnez le numéro à appeler.

De New York à New York
Faîtes directement l'indicatif suivi des 7 chiffres du numéro du correspondant. Renseignements : 411 (appel gratuit dans les cabines).

Cartes téléphoniques – Évitez de téléphoner depuis les hôtels, qui surtaxent. Achetez plutôt une carte téléphonique prépayée (à partir de 5 $), en vente dans les épiceries et chez les marchands de journaux. Précisez si vous voulez des appels internationaux ou non. Les appels reviennent à un prix dérisoire. On vous indique un numéro gratuit à composer, puis vous entrez un *pin number* et enfin le numéro demandé.

Téléphones portables – Pour que votre portable fonctionne, il doit être de type tribande ou quadribande. Avant votre voyage, contactez votre fournisseur pour connaître ses tarifs aux États-Unis. Si vous pouvez investir dans une carte SIM américaine, placez-la dans votre téléphone français, puis rechargez-la avec des cartes prépayées. Tous les opérateurs proposent ce genre de système, en vente dans les épiceries, drugstores, kiosques, magasins de téléphonie. N'oubliez pas que vous paierez aussi pour chaque appel reçu.

Toilettes

Il n'existe quasiment pas de toilettes publiques *(rest rooms)*.

Transports en commun

C'est la solution la plus économique et la plus rapide. Le réseau des transports – bus, métro et trains de banlieue – est administré par MTA (Metropolitan Transportation Authority) : **www.mta. info**. Demandez les plans de bus *(Bus Map)* et métro *(New York Subway Map)* dans une station de métro.

Métro

Tickets et tarifs –Le ticket coûte 2,25 $ et vaut pour un trajet, incluant toutes les correspondances. Une fois que vous êtes sorti de la station, il n'est plus utilisable. La **Pay-Per-Ride MetroCard** coûte à partir de 8 $ (4 trajets) . Elle permet le transfert vers le bus, est rechargeable autant de fois que l'on veut et permet de gagner 15 % par rapport au prix du ticket de métro.

L'**One-Day Fun Pass** à 8,25 $, en vente aux machines automatiques et dans les kiosques, autorise les trajets illimités en métro ou bus jusqu'à 3h du matin. L'**Unlimited Ride MetroCard** existe en 7-Day (27 $), 14-Day (51,50 $) et 30-Day (89 $) : accès illimité au métro et au bus.

Se repérer dans le métro –Les lignes ont un numéro ou une lettre. Pour savoir quel quai emprunter, c'est soit la **direction** qui compte (Downtown, Uptown), soit la **destination** (Brooklyn). Attention aux panneaux : pour certaines stations, une entrée séparée est affectée à chaque direction, et une fois que vous êtes passé avec votre ticket, il ne sera plus valable dans l'autre sens si vous vous êtes trompé. Des lignes sont omnibus *(local)*, d'autres *express* : un haut-parleur donne la précision avant l'arrivée du métro. Plusieurs lignes peuvent utiliser le même quai tour à tour : regardez bien le **numéro** ou la **lettre** affichés en tête du train et sur le côté des rames. Si vous vous trompez d'arrêt ou de sortie et que vous franchissez le tourniquet avec une carte, vous devrez attendre 18 mn avant de pouvoir réutiliser votre carte.

Les métros circulent **24h/24**, passent toutes les 2 à 5 mn aux heures de pointe (7h30-9h, 17h-18h30) et jusqu'à toutes les 20 mn entre 0h et 6h30. Certaines stations sont fermées la nuit.

Sécurité et conseils – Le métro est sûr, néanmoins un minimum de prudence s'impose comme dans toute grande ville. ♿ *Voir plan au dos du plan détachable.*

Bus

Les tickets de métro, les MetroCards et le One-Day Fun Pass sont valables dans les bus. Le trajet coûte 2,25 $. Les

11

lignes se distinguent par un **numéro**. La lettre qui le précède indique le *borough* d'appartenance : M pour Manhattan, B pour Brooklyn, Bx pour Bronx, etc. À Manhattan, les lignes transversales portent le numéro de la rue qu'elles longent. Pour demander l'arrêt suivant (tous les 2 à 3 blocs), appuyez sur les boutons « Stop » ou sur les bandes verticales jaunes situées entre les vitres. Beaucoup de lignes fonctionnent **24h/24** (fréquence diminuée la nuit). Entre 22h et 5h, vous pouvez demander au chauffeur de vous arrêter entre deux arrêts.

Transferts – Si vous avez une Pay-Per-Ride MetroCard, les transferts du bus vers le métro ou vers un autre bus sont inclus dans la valeur du ticket pendant 2h après le premier passage à un contrôle. Si vous avez une Unlimited Ride MetroCard, ils sont illimités. Si vous payez avec des pièces, ils ne sont gratuits qu'avec les lignes de bus que croise celui dans lequel vous êtes monté. ℭ *Voir « Arriver à New York » p. 1.*

Vélo

Le vélo, en raison de la circulation effrénée, peut être dangereux : ne l'utilisez que dans les parcs. Pour en louer un :

14th St. Bicycles – 332 East 14th St. - ℘ 212 228 4344.
6th Ave. Bicycles – 546, 6th Ave. - ℘ 212 255 5100.
Canal St. Bicycles – 1 Hudson Square - ℘ 212 334 8000.
Eastside Bicycles – 1311 Lexington Ave. (angle 88th St.) - ℘ 212 427 4450.

Metro Bicycles Stores – www.metrobicycles.com - 7 \$/h, 35 \$/j, casque pour 2,50 \$.
Midtown Bicycles – 360 West 47th St. - ℘ 212 581 4500.
Westside Bicycles – 231 West 96th St. - ℘ 212 663 7531.

Visites

La plupart des musées sont fermés le lundi et les principaux jours fériés. Les billets sont chers, mais tous les musées ont des périodes d'accès gratuit.
Des **Pass** proposent l'entrée dans une sélection de musées et sites touristiques pour un prix forfaitaire. Dépliants disponibles dans les offices de tourisme et les hôtels.
Le **City Pass** est le plus intéressant. Il est valable 9 jours et coûte 79 \$ pour un adulte. Il comprend l'accès à la Statue de la Liberté, à l'Empire State Building, au MoMA, au Metropolitan Museum, au musée Guggenheim et à celui d'Histoire naturelle. On l'achète dans les musées ou les sites concernés, à l'office de tourisme ou sur le site www.citypass.com.
Le **New York Pass** existe pour 1 jour (75 \$), 2 jours (110 \$), 3 jours (125 \$) ou 7 jours (165 \$). Réductions sur le site www.newyorkpass.com. Faites bien vos comptes, car il est impossible de tout voir dans le temps imparti. Il donne droit, entre autres, à une croisière autour de Manhattan, à l'Empire State Building, au zoo du Bronx, au musée d'Histoire naturelle et à de nombreuses attractions, ainsi qu'aux grands musées (MoMA, Guggenheim, Whitney, mais ni

le Met ni la Frick Collection). Réductions dans certains magasins et restaurants, et pour des spectacles à Broadway. Il s'adresse surtout aux familles avec des enfants.

Visites guidées

À pied

Les visites guidées sont nombreuses mais pas toujours en français.
Big Apple Greeter – ℘ 212 669 8159 - *www.bigapplegreeter.org*. Pour découvrir la ville de l'intérieur. Visites assurées par des New-Yorkais bénévoles. Leur service est gratuit, ce qui n'empêche pas de les inviter à déjeuner.
Greenwich Village Literary Pub Crawl – ℘ 212 252 2947 - *www.bakerloo. org* - RV le samedi à 14h à la White Horse Tavern, 567 Hudson St. - 15 $ - bon niveau d'anglais exigé. Pour partir sur les traces des écrivains célèbres (Jack Kerouac) ou des peintres expressionnistes abstraits (Jackson Pollock), et boire dans les pubs qu'ils fréquentaient.
Harlem Spirituals - New York Visions – ℘ 212 391 0900 - *www. harlemspirituals.com*. Une équipe francophone organise des visites à Harlem (messe gospel ou soirées jazz), à Manhattan et dans le Bronx.
Joyce Gold – ℘ 212 242 5762 - *www.nyctours.com*. Propose en anglais des circuits historiques : « Gangs of New York and the Bloody Five Points », « Genius and Elegance of Gramercy Park »…

Les audiotours – *Audiotour 6 $ - bon niveau d'anglais nécessaire*. Visiter le Bronx avec le pionnier du hip-hop Jazzy Jay, Ground Zero avec l'écrivain Paul Auster, ou encore Little Italy avec l'acteur des *Sopranos* Vinny Vella ? C'est possible en téléchargeant sur votre lecteur MP3 les audiotours proposés sur le site www. soundwalk.com. Une douzaine de parcours sont proposés en compagnie de personnalités new-yorkaises.
On Location Tours – ℘ 212 209 3370 - *www.sceneontv.com*. Les fans de séries télévisées peuvent visiter les principaux lieux de tournage et les sites mémorables des feuilletons.

En bus, bateau, hélicoptère

Circle Line Cruises – ℘ 212 563 3200 - *www.circleline42.com*. Mini-croisières autour de Manhattan en vedettes fluviales pendant 2h (31 $, enfants 20 $) ou 3h (35 $, enfants 22 $).
Gray Line – 49 West 45th St. - *www. coachusa.com/newyorksightseeing*. L'offre la plus complète pour visiter New York en bus à impériale (à partir de 40 $).
Chelsea Screamers – Pier 62 (West 23rd St.) - ℘ 212 924 6262 - *www. chelseascreamer.com - juin-oct. : sam. et dim. à 13h30, 14h45, 16h et 17h15 - 20 $*. Découverte de Manhattan en hors-bord rapides.
Liberty Helicopters – ℘ 212 967 6464 - *www.libertyhelicopters.com*. Survol de New York en hélicoptère à des tarifs divers selon la durée du vol. Minimum 150 $.

13

Agenda culturel

Rendez-vous annuels

JANVIER

Chinese New Year's Festival – Nouvel An chinois, à Chinatown - fin janvier-début février selon le calendrier chinois.

Winter Antiques Show – Foire aux antiquaires d'hiver, 7th Regiment Armory, Park Avenue - fin janvier.

FÉVRIER

Empire State Building Run - Up – Course à pied dans les escaliers du gratte-ciel - début février.

Black History Month – Manifestations autour de l'identité noire - tout le mois de février - ✆ 212 484 1222.

Westminster Dog Show – Foire canine, Madison Square Garden.

MARS

Art Expo New York – Pier 94 on the Hudson River - fin mars - www.artexponewyork.com.

Brooklyn Jazz Underground Festival, trois jours début mars.

St. Patrick's Day – Fête des Irlandais : parade sur la 5th Avenue - 17 mars.

Armory Arts Week – Grande foire d'art contemporain au Pier 94 - fin mars - www.armoryartsweek.com.

Macy's Spring Flower Show – Un million de fleurs dans les vitrines du grand magasin Macy's.

New Directors New Film – Lincoln Center et MoMA - mars-avril.

Easter Sunday Parade – Défilé sur la 5th Avenue - dimanche de Pâques.

AVRIL

Central Brooklyn Jazz Festival - Concerts de jazz durant tout le mois.

Spring Flower Exhibition – Exposition de fleurs printanières, New York Botanic Garden - de mi-avril jusqu'en juin.

TriBeCa Film Festival – www.tribecafilmfestival.org.

MAI

Cherry Blossom Festival – Au Brooklyn Botanic Garden - début mai.

Five Boro Bike Tour – 67 km de randonnée à vélo à travers les cinq *boroughs* - 1er dim. de mai - www.bikenewyork.org.

Harlem Jazz Dance Festival – Autour de Marcus Garvey Park et à Central Harlem - 2e semaine de mai.

Memorial Day Parades – Défilés dans tous les quartiers - 4e lun. de mai.

Washington Square Outdoor Art Exhibit – À Washington Square - dernier w.-end de mai.

JUIN

Museum Mile Festival – Fête des musées de l'Upper East Side - 2e mardi de juin.

Puertorican Day Parade – Parade des Portoricains sur la 5th Avenue - 2e dim. de juin.

Mermaid Parade – À Coney Island - fin juin.

Lesbian and Gay Pride Week – Sur la 5th Avenue - fin juin.

Summer Festival – Nombreux spectacles et concerts en plein air : **Summer Stage in Central**

14

Le NOUVEAU Guide Vert MICHELIN vous promet des vacances inoubliables !

VOIR QUOI ? EN FAMILLE ? DÎNER OÙ ?

VOIR QUOI ? EN FAMILLE ? DÎNER OÙ ?
Avec le nouveau Guide Vert MICHELIN, trouvez immédiatement toutes les informations, rempli d'adresses pratiques, il propose des offres adaptées à tous les budgets.
Partez avec Le Guide Vert MICHELIN et son complément web ViaMichelin Voyage* : la double garantie d'un voyage réussi.
*Nouveau www.Voyage.ViaMichelin.fr

Park, **Summer Parks Concerts**, **Metropolitan Opera Parks Concerts**… - fin juin-septembre.

JUILLET

Independance Day – Fête nationale : feux d'artifice sur l'Hudson et l'East Rivers (le 4 juillet) et dans la baie (jours variables). Parade de bateaux au South Street Seaport - 4 juillet.

Shakeaspeare Festival – En plein air à Central Park - juillet-août.

Mostly Mozart Festival – Concerts gratuits sur la plaza du Lincoln Center - de mi-juillet à fin août.

52nd Street Association Jazz Festival – Perpétue le jazz new-yorkais de la grande période - dernier dim. de juillet.

Midsummer Night's Swing – Concerts et spectacles de danse sur la plaza du Lincoln Center.

Feast of O-Bon – Fête bouddhique et japonaise de la Mort dans Riverside Park - le samedi le plus proche de la pleine lune.

Harlem Jazz & Music Festival – Danse, musique et manifestations diverses - fin juillet-début août.

AOÛT

NY Philharmonic Parks Concerts – Concerts gratuits dans différents parcs - fin juillet - début août.

Lincoln Center Out of Doors – Concerts et ballets gratuits, en plein air - www.lincolncenter.org.

J&R Summer Festival – Concerts gratuits dans le City Hall Park.

New York International Fringe Festival – Deux semaines de performances théâtrales ou musicales de toutes origines - www.fringenyc.org.

US Open de tennis – Flushing Meadows.

Race for Mayor's Cup – Course de kayaks, dans le port - mi-août.

New York Underground Comedy Festival – Spectacles et artistes peu connus.

St. Stephen's Day – Parade sur la 5th Avenue - dernier dim. d'août.

SEPTEMBRE

Labor Day – Fête du Travail : **Tranvestites Parade** dans l'East Village, **Brazilian Parade** sur l'Avenue of the Americas (6th Ave.), **West-Indian-American Day Parade** à Brooklyn (carnaval des Caraïbes) - 1er septembre.

Feast of San Gennaro – Fête des Italiens à Little Italy - vers la mi-septembre.

BAM Next Wave Festival – Danse expérimentale, concerts et théâtre à la Brooklyn Academy of Music - www.bam.org.

OCTOBRE

New York Film Festival – Lincoln Center - jusqu'à mi-octobre.

Colombus Day Parade – Commémoration sur la 5th Avenue de la découverte de l'Amérique par Christophe Colomb - 2e w.-end d'octobre.

Greenwich Village Halloween Parade – Fête de Halloween - 31 octobre.

NOVEMBRE

Marathon de New-York – Début novembre.

Veterans Day ou **Armistice Day** – Parade sur la 5th Avenue - 11 novembre.

Macy's Thanksgiving Day Parade – Parade le long de Broadway, de Central Park West à Herald Square - 4e jeu. de novembre.

DÉCEMBRE
Tree-Lightin – Illuminations de Noël, en particulier au Rockefeller Center et à l'angle des 5th Avenue et 59th Street, près de Central Park - à partir du 4 décembre.
First Night Festival – Feux d'artifice à Central Park et à South Street Seaport - 31 décembre - le **New Year's Eve Ball Drop** est le grand rassemblement sur Times Square, juste avant minuit, quand la foule égrène les douze coups tandis que la fameuse boule lumineuse descend le long de l'immeuble du *Times*. Ensuite, c'est la **Midnight Run**, dans Central Park.

Biennales

Whitney Biennial – Au Whitney Museum of American Art, tendances actuelles de l'art contemporain - 3 mois au printemps - ✆ 212 570 3600 - www.whitney.org.

Événement futur

Le mémorial de Ground Zero – Il comprendra deux bassins, situés aux emplacements des anciennes tours, 4 tours et la Freedom Tower, au cœur d'un parc de 3 hectares. Son ouverture est prévue pour 2014.

Grandes expos

Les principaux lieux – New York compte de nombreux sites d'exposition, en particulier les grands musées comme le MoMA, le Metropolitan Museum of Art, la Frick Collection, le musée d'Histoire naturelle et le Guggenheim Museum.
Renseignements – Sur Internet avant tout, et notamment sur le site de l'office de tourisme **www.nycvisit.com**. New York regorge de publications gratuites qui vous informent sur son programme culturel. Vous pouvez les consulter sur Internet ou vous les procurer dans les centres d'accueil, les hôtels ou les grands musées. Parmi elles, **City Guide Magazine** (www.cityguidemagazine.com), **Where New York** (www.whereny.com), **In New York** (www.in-newyorkmag.com), **Official NYC Travel Planner** (www.nycvisit.com). Vous pouvez aussi naviguer sur **www.citidex.com**, qui donne une foule de liens utiles. Dès votre arrivée, demandez à l'office de tourisme le **Gallery Guide**, contenant la liste des galeries d'art accompagnée de plans de quartiers, et le **Museumgoer's Guide**, offrant la liste des musées et des expositions temporaires.
Pensez aussi à feuilleter l'agenda culturel des principaux **quotidiens** : *New York Times*, *Time Out New York*, *New York Magazine*.
Billetteries – Les expositions et certains grands événements peuvent être réservés en ligne avant le départ sur les sites de l'office de tourisme, des musées etc. Vous pouvez également prendre vos billets directement sur les lieux d'exposition.

Times Square.

...STER.COM / 212-307-4100

BR
W
SU
TH

CHIC

TELECHAR
AMBASSAD

G. Masci / Tips/Photononst

Nos adresses

19

Se loger

Préparez-vous à consacrer la plus importante part de votre budget à l'hébergement ! N'oubliez pas de rajouter les taxes (13,25 %) et les pourboires (↺ voir « *Taxes* » p. 10 et « *Pourboire* » p. 8).

Sur Internet, vous pouvez réserver « vol + hôtel » auprès de voyagistes discount (↺ voir « *Se rendre à New York* » p. 4) ou passer par des **centrales de réservation** : www.hoteldiscount.com, www.newyorkcity.com…

Les chambres d'**hôtel** et de **Bed & Breakfast** (www.bbonline.com, www.bedandbreakfast.com, www.lanierbb.com), généralement chères et petites – sauf dans les établissements de luxe –, ont des tarifs équivalents. Les B&B assurent simplement un contact privilégié avec une famille new-yorkaise.

Si vous souhaitez sortir le soir, préférez les quartiers situés entre Canal St. et la 30 th St., et West Midtown.

Lower Manhattan se vide le soir et reste très calme mais offre la proximité des embarcadères pour visiter la statue de la Liberté.

↺ *Les adresses sélectionnées ci-après sont positionnées sur le plan détachable ; elles sont repérables grâce aux pastilles numérotées (ex. ❶). Les carroyages en rouge font référence à ce même plan.*

Nos tarifs correspondent au prix mini d'une chambre double en haute saison.

Lower Manhattan

DE 200 À 250 $ (165 À 200 €)

24 World Center Hotel – A8 - *144 Washington St.* - Ⓜ *Cortland St.* - ℘ *212 577 12933* - *www.worldcenterhotel. com* - *169 ch.* ✕ ▤ Construit en 2009 face à Ground Zero. Vues spectaculaires sur le site et sur les gratte-ciel de Lower Manhattan, notamment de la terrasse du 20e étage. Chambres design astucieusement conçues dans un style « technophile ».

Chinatown - Little Italy

DE 150 À 250 $ (120 À 200 €)

12 Best Western Bowery Hanbee – B7 - *231 Grand St.* - Ⓜ *Grand St.* - ℘ *212 925 1177* - *www.bw-boweryhanbeehotel.com* - *102 ch.* ▤ Au point de rencontre de Chinatown et de Little Italy, cet hôtel récent et impeccable offre un bon rapport qualité-prix, pour des chambres petites mais claires et bien conçues. Petit-déj. et wifi inclus.

Soho

DE 150 À 250 $ (120 À 200 €)

7 Living with Art – B7 - *153 Lafayette St.* - Ⓜ *Canal St.* - ℘ *646 613 1143 (portable)* - *www.bedandbreakfast.com/ new-york-manhattan-roominsoholoft. html* - *4 ch.* En plein Soho, un couple d'artistes franco-québécois accueille les visiteurs dans sa galerie-appartement, au milieu des sculptures et des tableaux.

PLUS DE 600 $ (PLUS DE 500 €)

8 **The Mercer** – B7 - *147 Mercer St. (angle Prince St.) -* Ⓜ *Prince St. - ℘ 212 966 6060 - www.mercerhotel. com - 75 ch.* ✕ ▤ Des minilofts à la décoration soignée, signée Christian Liaigre, et un service impeccable : un véritable must !

Lower East Side

DE 200 À 300 $ (165 À 250 €)

13 **East Houston Hotel** – C7 - *151 East Houston St. -* Ⓜ *Lower East Side/2nd Avenue - ℘ 212 777 0012 - www.hoteleasthouston.com - 40 ch.* ▤ Construit en 2007 sur une avenue très passante, hôtel moderne et compact, avec des chambres un peu exiguës mais bien agencées. Petit-déj. compris.

9 **Off Soho Suites Hotel** – C7 - *11 Rivington St. -* Ⓜ *Bowery - ℘ 212 979 9808 - www.offsoho. com - 38 studios et appart. (2 et 4 pers.).* ▤ À l'ouest du quartier, une façon économique de se loger dans des appartements bien équipés avec cuisine. Seconde adresse au nord de l'East Village. Tarifs dégressifs à la semaine.

West Village

DE 200 À 300 $ (165 À 250 €)

1 **Abingdon Guesthouse** – B6 - *21, 8th Ave. (entre West 12th et Jane Sts) -* Ⓜ *14th St. - ℘ 212 243 5384 -*

www.abingdonguesthouse.com - 9 ch. ▤ Pension confortable dans deux maisons traditionnelles de brique décorées avec soin, chacune dans un style différent. Malgré l'avenue assez bruyante on a l'impression d'être à la maison. Pas de petit-déjeuner. Un peu cher par rapport aux hôtels.

14 **Washington Square Hotel** – B6 - *2103 Waverly Place -* Ⓜ *4th St./ Washington Square - ℘ 212 777 9515 - www.washingtonsquarehotel.com - 160 ch.* ✕ ▤ Hôtel familial de style Art déco, inspiré de la photo de cinéma. Chambres de taille modeste mais très claires. Service attentif et petit-déj. continental compris.

East Village

DE 100 À 150 $ (DE 80 À 120 €)

15 **St Mark's Hotel** – C6 - *2 St Mark's Pl. -* Ⓜ *Astor Pl. - ℘ 212 674 0100 - www.stmarkshotel.net - 70 ch.* ▤ Confort très basique pour des chambres simples et assez sonores, mais bien tenues. Idéalement situé pour sortir le soir. Attention, pas d'ascenseur.

PLUS DE 300 $ (PLUS DE 250 €)

2 **The Bowery Hotel** – C7 - *335 Bowery* Ⓜ *Bleecker St. - ℘ 212 505 9100 - www.theboweryhotel.com - 140 ch.* ✕ À deux pas de Soho et du Lower East Side, tout le charme de la Vieille Europe est réuni dans cet établissement ! Certaines chambres bénéficient d'une terrasse privée avec vue sur la ville. Très bonne cuisine italienne au restaurant de l'hôtel.

Chelsea

DE 150 À 200 $ (120 À 165 €)

16 **Chelsea Savoy** – B5 - *204 West 23rd St. -* Ⓜ *23rd St. -* ℘ *212 929 9353 - www. chelseasavoy.com - 90 ch.* 🛏 Situé près des transports en commun, un hôtel confortable, assez impersonnel mais bien équipé. Les chambres des premiers étages, côté rue, peuvent être bruyantes.

DE 200 À 300 $ (165 À 250 €)

3 **Chelsea Hotel** – B5 - *222 West 23rd St. -* Ⓜ *23rd St. -* ℘ *212 243 3700 - www.hotelchelsea.com - 240 ch.* De Sarah Bernhardt à Arthur Miller, W. De Kooning ou encore Nabokov, cet hôtel a hébergé les plus grands noms des arts, de la littérature et de la musique. Le hall, décoré d'œuvres des habitués, ressemble à une galerie. Chambres spacieuses, mais déco fatiguée. Si vous n'êtes pas célèbre, le service risque d'être un brin condescendant. Cher, mais c'est le prix à payer pour le mythe…

Madison Square

DE 100 À 150 $ (80 À 120 €)

17 **Hotel 17** – C6 - *225 East 27th St. (entre 2nd et 3rd Aves) -* Ⓜ *3rd Ave. -* ℘ *212 475 2845 - www.hotel17ny.com - 120 ch.* 🛏 Très calme, près de Gramercy Park. Atmosphère un peu désuète et décor néorustique un rien nostalgique. Woody Allen y a tourné des scènes de *Meurtre mystérieux à Manhattan* et Madonna y a également séjourné. Les chambres, modestes mais confortables, partagent des salles de bain communes impeccables. Demandez un étage élevé pour plus de lumière.

DE 150 À 250 $ (120 À 200 €)

4 **Gershwin Hotel** – C5-6 - *7 East 27th St. (entre Madison et 5th Aves) -* Ⓜ *28th St. -* ℘ *212 545 8000 - www. gershwinhotel.com - 132 ch.* 🛏 La façade au décor flamboyant et la déco colorée sont l'un des atouts de cet hôtel qui attire beaucoup de jeunes artistes et de professionnels de la mode. Chambres à tous les prix, lits en dortoir.

18 **Clarion Hotel Park Avenue** – C5 - *429 Park Ave. South -* Ⓜ *28th St. -* ℘ *212 532 4860 - www.choicehotel. com - 60 ch.* 🛏 Bien qu'un peu impersonnelles, les chambres sont claires et agréables. Celles donnant sur l'arrière sont plus calmes mais un peu sombres. Petit-déj. continental inclus.

West Midtown

DE 150 À 250 $ (120 À 200 €)

19 **414 Hotel** – C4 - *414 West 46th St. (entre 9th et 10th Ave.) -* Ⓜ *50th St. -* ℘ *212 399 0006 - www.414hotel.com - 22 ch.* 🛏 Au calme dans une rue bordée d'arbres, deux maisons de brique réunies par un joli patio. Chambres un peu petites, sobrement décorées dans un esprit très new-yorkais. Petit-déj et wifi inclus. L'ensemble dégage une reposante atmosphère de pension de famille.

20 **The Hotel @ Times Square** – C5 - *59 West 46th St. -* Ⓜ *Times Square -* ℘ *212 719 2300 - www.applecorehotels. com - 206 ch.* 🛏 À deux pas de Times Square sans être trop bruyant, rénové dans un style clair et fonctionnel. Chambres bien équipées et petit-déj. léger compris.

DE 250 À 300 $ (200 À 250 €)

10 Room Mate Grace Hotel – C5 - *125 West 45th St. (entre 6th et 7th Aves) -* Ⓜ *Times Square -* ℘ *212 354 2323 - www. room-matehotels.com - 139 ch.* ✗ 🖵 En plein Times Square, les petites chambres sont conçues comme des cabines de bateau, mais l'ensemble est moderne, coloré et fonctionnel. Piscine et sauna. À la mode et branché, ce qui explique des prix un peu trop élevés. Les promotions sur Internet peuvent faire la différence.

PLUS DE 300 $ (PLUS DE 250 €)

5 Hudson Hotel – C4 - *356 West 58th St.* Ⓜ *Columbus Circle -* ℘ *212 554 6000 - www.hudsonhotel. com - 1 000 ch.* ✗ 🖵 L'intérieur de cet ancien pensionnat rénové par Starck allie folie des grandeurs et éclectisme. Très agréable terrasse, avec vue sur Central Park. La petite taille des chambres est compensée par d'intéressantes promotions sur le site Internet.

21 Belvedere – C4 - *319 West 48th St. -* Ⓜ *49th St. -* ℘ *212 245 7000 - www. belvederehotelnyc.com - 400 ch.* ✗ 🖵 Un peu à l'écart de l'agitation de Times Square, bel hôtel dans la grande tradition de l'Art déco new-yorkais. Chambres élégantes et spacieuses, très lumineuses côté rue et dotées du meilleur confort. Service impeccable. Promotions sur Internet.

East Midtown

DE 150 À 200 $ (120 À 165 €)

22 Ramada Inn Eastside – C5 - *161 Lexington Ave. -* Ⓜ *33rd St.* - ℘ *212 545 1800 - www.ramada. com - 95 ch.* 🖵 Dans la partie sud de Murray Hill, hôtel de chaîne très classique, bien desservi par les transports en commun. Chambres modernes, très confortables. Service prévenant. Petit-déj. compris.

DE 300 À 400 $ (250 À 330 €)

11 W Hotel – D5 - *541 Lexington Ave. -* Ⓜ *51th St. ou Lexington Ave. -* ℘ *212 755 1200 - www.whotels.com.* ✗ 🖵 À quelques minutes à pied du Chrysler Building, cet hôtel de chaîne propose des chambres tout confort à la déco chic et sobre. Attention, les moins chères peuvent être petites et un peu sombres.

6 The Library – C5 - *299 Madison Ave. -* Ⓜ *Grand Central -* ℘ *212 983 4500 - www.libraryhotel.com - 60 ch.* ✗ 🖵 Élégant, chaleureux et calme, rempli de livres (il y en a plus de 6 000 !). Décor design et superbe terrasse.

Upper West Side

DE 150 À 200 $ (120 À 165 €)

23 Belleclaire Hotel – C3 - *250 West 77th St. -* Ⓜ *79th St. -* ℘ *212 362 7700 - www.hotelbelleclaire. com - 189 ch.* 🖵 Un peu excentré par rapport à l'animation du centre de Manhattan, mais à proximité de Central Park et du Lincoln Center. Chambres simples, bien tenues, sobrement décorées, toutes équipées d'un réfrigérateur. Bon rapport qualité-prix.

Se restaurer

À toute heure, vous trouverez de quoi vous restaurer bon marché. Le soir, les bonnes tables ne manquent pas pour un dîner raffiné. Et le dimanche, essayez un brunch ! (☙ *Voir aussi « Faire une pause » p. 30 et « Restauration » p. 9*).
Les carroyages en rouge renvoient au plan détachable. Les adresses y sont repérables grâce aux pastilles numérotées (ex. ❶).
Consultez également les plans de quartiers p. 46-47, 59, 64 et 69, pour un aperçu plus détaillé des rues.

Lower Manhattan

→DÉJEUNER

MOINS DE 20 $ (MOINS DE 16 €)
13 Adrienne's Pizzabar – A-B8
- *54 Stone St.* - Ⓜ *Wall St.* Délicieuses pizzas, mais aussi des gratins et salades.

Chinatown

→DÉJEUNER

MOINS DE 20 $ (MOINS DE 16 €)
25 Peking Duck House – B7 -
28 Mott St. (entre Chatham Sq. et Pell St.) - Ⓜ *Canal St.* - ℘ *212 227 1810 - www. pekingduckhousenyc.com.* Le canard laqué roulé dans de petites crêpes est un régal à ne pas manquer !

Nolita

→DÉJEUNER

MOINS DE 20 $ (MOINS DE 16 €)
17 Lovely Day – B7 - *196 Elizabeth St.* - Ⓜ *Bowery* - ℘ *212 925 3310 - tlj 12h-*

22h. Papier peint fleuri et banquettes en moleskine rouge : rien ne laisse supposer qu'on se régale ici de succulents plats thaïs !

DE 20 À 30 $ (DE 16 À 25 €)
21 Mottsu – B7 -*285 Mott St. (entre Houston et Prince Sts)* - Ⓜ *Prince St.* - ℘ *212 343 8017 - tlj 12h-15h, 17h-23h.* Une très bonne cuisine japonaise dans cette cantine de quartier. Makis, sushis et plats à base de poissons.

→DÎNER

DE 30 À 50 $ (DE 25 À 40 €)
16 Kitchen Club – B7 - *30 Prince St.* - Ⓜ *Prince St.* - ℘ *212 274 0025.* Excellente table de cuisine fusion, accueil chaleureux et ambiance cosy.

Soho

→DÉJEUNER

MOINS DE 20 $ (MOINS DE 16 €)
5 Milady's – B7 - *162 Prince St. (angle Thompson St)* - Ⓜ *Prince St.* - ℘ *212 226 9340* - Le charme des bons vieux bars de quartier, avec sa patine fatiguée et sa bonne humeur. Plats du jour et snacks variés.

→DÎNER

DE 30 À 50 $ (DE 25 À 40 €)
12 Giorgione – A7 -*307 Spring St.* - Ⓜ *Spring St.* - ℘ *212 352 2269 - ouv. tlj, dim. uniquement le soir.* Ambiance détente dans ce restaurant italien où les pastas, les pizzas et les expressos sont un vrai bonheur.

Bar, café et restaurant Pastis (p. 26).

24

Lower East Side

→DÉJEUNER

MOINS DE 20 $ (MOINS DE 16 €)

29 Russ & Daughters – **C7** - *179 East Houston St.* - Ⓜ *2ⁿᵈ Ave.* - ✆ *212 475 4880.* Bagel artisanal et fromage crémeux, saumon et poissons fumés font les délices des clients.

15 Katz Delicatessen – **C7** - *205 East Houston St.* - Ⓜ *2ⁿᵈ Ave.* - ✆ *212 254 2246 - www.katzdeli.com.* Le plus célèbre delicatessen de New York, où l'on peut manger à tous les prix. Ici fut tournée une scène de *Quand Harry rencontre Sally.*

30 Schiller's – **C7** - *131 Rivington St.* - Ⓜ *Essex St.* - ✆ *212 260 4555 - www.schillersny. com.* Carrelages tout simples, tables de bistro et miroirs : le chic new-yorkais, ni coincé ni laisser-aller. Bons plats de style brasserie, à prix raisonnable. Plus cher le soir (20-30 $). Snacks au bar jusqu'à 2 ou 3h du matin le week-end.

→DÎNER

DE 30 À 50 $ (DE 25 À 40 €)

11 Freeman's – **B7** - *8 Rivington St., dans Freeman Alley* - Ⓜ *Bowery* - ✆ *212 420 0012 - www. freemansrestaurant.com - 17h-23h, brunch le w.-end 11h-15h30.* Spécialités rustiques à goûter dans ce restaurant aux airs de pavillon de chasse.

West Village

→DÉJEUNER

MOINS DE 20 $ (MOINS DE 16 €)

9 Corner Bistro – **B6** - *331 West 4ᵗʰ St. (angle Jane St.)* - Ⓜ *Bleecker*

St. - ✆ *212 242 9502 - ouv. jusqu'à 4h.* Les meilleurs burgers de la ville et assurément les moins chers (env. 5 $).

→DÎNER

DE 30 À 50 $ (DE 25 À 40 €)

4 Pearl Oyster Bar – **B6** - *18 Cornelia St. (entre Bleecker et West 4ᵗʰ St.)* - Ⓜ *West 4ᵗʰ St.* - ✆ *212 691 8211 - www. pearloysterbar.com - fermé sam. midi et dim.* Un *raw bar* très réputé pour déguster huîtres, homard et autres fruits de mer.

31 Spotted Pig – **B6** - *314 West 11ᵗʰ St.* - Ⓜ *Christopher St.* - ✆ *212 620 0393 - www.thespottedpig.com.* Ce restaurant au décor de charme sert une cuisine de qualité agrémentée d'un petit air italien.

Meatpacking

→DÎNER

DE 20 À 30 $ (DE 16 À 25 €)

24 Pastis – **B6** - *9, 9ᵗʰ Ave. (angle Little 12ᵗʰ St.)* - Ⓜ *8ᵗʰ Ave.* - ✆ *212 929 4844 - www.pastisny.com.* Pour se rassasier de moules-frites ou d'un steak tartare dans un décor à la provençale. Agréable terrasse et atmosphère joyeuse.

East Village

→DÉJEUNER

MOINS DE 20 $ (MOINS DE 16 €)

20 Momofuku Noodle Bar – **C6** - *163, 1ᵉʳ Ave.* - Ⓜ *Astor Pl.* - ✆ *212 777 7773 - www.momofuku.com.* On y mange le long d'un comptoir des plats de croquettes de porc, des pâtes chinoises ou de succulents petits pâtés.

→DÎNER

DE 20 À 30 $ (DE 16 À 25 €)

1 **B-Bar & Grill** – **C7** - *angle Bowery et 4th St.* - Ⓜ *Astor Pl.* - ✆ *212 475 2220* - *www.bbarandgrill.com* - *ouv. jusqu'à 4h le w.-end.* Ce *diner* sympathique sert une bonne cuisine internationale. Grande terrasse avec coin fumeurs, éclairée par des lampions multicolores.

27 **Supper** – **C7** - *156 East 2nd St. (entre A et B Ave.)* - Ⓜ *2nd Ave.* - ✆ *212 477 7600* - *www.supperrestaurant.com.* Cadre sobre et chaleureux pour une excellente cuisine de l'Italie du Nord. Agréable terrasse aux beaux jours.

Chelsea

→DÉJEUNER

MOINS DE 20 $ (MOINS DE 16 €)

7 **Chelsea Market** – **B6** - *9th et 10th Aves (entre 15th et 16th Sts)* - Ⓜ *8th Ave.* - ✆ *212 243 6005* - *www.chelseamarket.com* - *tlj 7h-21h (dim. 10h-20h).* Voici l'endroit où trouver de quoi faire un pique-nique : fruits frais ou secs, pâtisseries, sandwiches raffinés, soupes, salades… S'il ne fait pas beau, on peut s'y asseoir ou choisir l'un des petits fast-foods.

→DÎNER

DE 20 À 30 $ (DE 16 À 25 €)

10 **Diner** – **B6** - *44, 9th Ave. (angle 14th St.)* - Ⓜ *8th Ave.-14th St.* - ✆ *212 627 2230* - *www.thedinernyc.com* - *lun. 11h-2h, mar. 11h-3h, merc.-jeu. 11h-5h, vend. 11h-6h, sam. 10h-6h, dim. 10h-2h.* Un *diner* typique – avec tables en formica –, et tous les classiques de la cuisine américaine.

DE 30 À 50 $ (DE 25 À 40 €)

6 **Cookshop** – **B5** - *156 10th Ave. (angle 20th St.)* - Ⓜ *23rd St. (8th Ave.)* - ✆ *212 924 4440* - *www.cookshopny. com.* Cuisine à base d'ingrédients locaux, achetés aux producteurs de la vallée de l'Hudson et du Vermont. Menus et décor d'une élégante simplicité.

Union Square

→DÉJEUNER

MOINS DE 20 $ (MOINS DE 16 €)

8 **City Bakery** – **B-C6** - *3 West 18th St.* - Ⓜ *23th St.* - ✆ *212 366 1414.* Célèbre dans toute la ville pour ses pâtisseries, cet établissement propose aussi des snacks délicieux et un buffet de salades.

→DÎNER

DE 30 À 50 $ (DE 25 À 40 €)

2 **Blue Water Grill** – **C6** - *31 Union Sq. West (angle 16th St.)* - Ⓜ *14th St. Union Sq.* - ✆ *212 675 9500* - *www. brguestrestaurants.com.* Doté d'une agréable terrasse, ce restaurant, situé face à Union Square sert poissons et fruits de mer au son du jazz (soir et dim.).

West Midtown

→DÎNER

DE 30 À 50 $ (DE 25 À 40 €)

22 **Nobu 57** – **C4** - *40 West 57th St.* - Ⓜ *57th St.* - ✆ *212 757 3000* - *www. noburestaurants.com* - *ouv. tlj, sam. et dim. uniquement le soir.* Dans une ambiance feutrée, vous savourerez une cuisine japonaise de grande qualité dont les plats à base de morue ont fait la renommée.

East Midtown

→DÎNER

DE 20 À 30 $ (DE 16 À 25 €)

㉓ Oyster Bar – **C5** - *Grand Central Terminal* - Ⓜ *Grand Central* - ℘ *212 490 6650* - *www.oysterbarny.com.* Probablement le meilleur endroit de la ville pour déguster des fruits de mer.

Central Park

→DÉJEUNER

DE 20 À 30 $ (DE 16 À 25 €)

❸ The Boathouse in Central Park – **D3** - *entrée par East 72nd St.* - Ⓜ *72th St.* - ℘ *212 517 2233* - *www.thecentralparkboathouse.com* - *dernier service à 21h30 - brunch du w.-end à partir de 9h30.* Au cœur de Central Park, cette ravissante véranda offre de romantiques couchers de soleil sur l'eau. Et, en plus, on y mange bien !

Upper East Side

→DÉJEUNER

DE 30 À 50 $ (DE 25 À 40 €)

⑱ Maya – **E4** - *191, 1st Ave.* - Ⓜ *Lexington Ave.* - ℘ *212 585 1818* - *www.modernmexican.com.* La cuisine mexicaine, qui marie harmonieusement tradition et nouveauté, est servie dans un cadre raffiné très agréable.

Upper West Side

→DÉJEUNER

DE 30 À 50 $ (DE 25 À 40 €)

⑭ Isabella's – **D-3** - *359 Columbus Ave. (angle 77th St.)* - Ⓜ *79th St.* - ℘ *212 724 2100* - *www.brguestrestaurants.com.* Nouvelle cuisine américaine teintée d'accents méditerranéens, dans un cadre décontracté. Belle terrasse et délicieux brunch le week-end.

Harlem

→DÉJEUNER

DE 20 À 30 $ (DE 16 À 25 €)

⑲ Miss Maude's Spoonbread Too – **F1** - *547 Lenox Ave.* - Ⓜ *135 th St.* - ℘ *212 690 3100* - *www.spoonbreadinc.com - lun.-jeu. 12h-21h30, vend.-sam. 12h-22h30, dim. 11h-21h30.* L'ancien mannequin Norma Jean Darden sert une cuisine riche et savoureuse du sud des États-Unis. Parfait pour le brunch dominical après une messe gospel.

Brooklyn

→DÎNER

DE 30 À 50 $ (DE 25 À 40 €)

㉘ River Café – **B8** - *1 Water St.* - ℘ *718 522 5200* - *www.rivercafe.com.* Pour une vue époustouflante sur les gratte-ciel de Manhattan ! Cuisine excellente.

㉖ Peter Luger – **D8** - *178 Broadway (angle Driggs St.)* - ℘ *718 387 7400.* On y sert la meilleure viande de New York ! Réservation indispensable.

Oyster Bar à Grand Central (ci-dessus).

Faire une pause

Cafés, bars à vins et pâtisseries sont
pléthore à New York. Découvrez aussi les
gourmet-food trucks, version améliorée
du camion à pizza proposant gaufres,
glaces ou desserts. *Les carroyages en
rouge renvoient au plan détachable.*

Lower Manhattan

Rise – **A8** - *2 West St.* - Ⓜ *Rector St.* -
℘ *212 344 0800* - *lun.-jeu. 16h-0h,
vend.-sam. 16h-2h, dim. 17h30-0h.*
Le bar du Ritz Carlton avec sa terrasse
panoramique et sa vue sur la statue
de la Liberté, magique au coucher du
soleil.

Nolita

Rice to Riches – **B7** - *37 Spring St.
(entre Mott et Mulberry Sts)* - Ⓜ *Spring
St.* - ℘ *212 274 0008.* Décor minimaliste
acidulé. Exclusivement consacré au
riz au lait, de tous parfums et toutes
couleurs.
Café Habana – **B7** - *17 Prince St. (angle
Elizabeth St.)* - Ⓜ *Broadway* - ℘ *212 625
2002.* Ambiance *muy caliente* dans ce
bar cubain où l'on se régale de délicieux
cocktails et empanadas.
Eileen's Cheesecake – **B7** -
*17 Cleveland Pl. (angle Kenmare et Centre
Sts)* - Ⓜ *Spring St.* - ℘ *212 966 5585* -
www.eileenscheesecake.com - *lun.-vend.
8h-21h, w.-end. 10h-19h.* Les meilleurs
cheesecakes de New York, riches et
mousseux à souhait ! À choisir parmi
une dizaine de parfums.

Tribeca / Soho

Bouley Bakery Market – **B7** - 130 West
Broadway (*angle Duane St*) -
Ⓜ *Chambers St.* - La pâtisserie-salon de
thé de l'un des plus célèbres chefs new-
yorkais. Déjeuner léger ou goûter.
Smith & Mills – **A7** - *71 North Moore St.
(entre Greenwich et Hudson Sts)* -
Ⓜ *Franklin St.* - ℘ *212 219 8568* - *ouv.
jusqu'à 3h.* Avec ses accents rétro et ses
cocktails savoureux, ce minuscule bar
est le dernier lieu à la mode !

Lower East Side

Inoteca – **C7** - *98 Rivington St. (angle
Ludlow St.)* - Ⓜ *Delancey St.* - ℘ *212 614
0473.* Superbe sélection de vins italiens à
déguster avec une assiette de fromages.

West Village

Magnolia Bakery – **B6** -
401 Bleecker St. - Ⓜ *Bleecker St.* -
℘ *212 462 2572.* Cette pâtisserie,
immortalisée dans *Sex and the City*, vend
des cupcakes, cheesecakes et autres
desserts délicieux.
Caffe Vivaldi – **B6** - *32 Jones St.* -
Ⓜ *West 4th St.* - ℘ *212 691 7538.* Bar
calme et cosy, dédié à la musique
classique autant qu'au jazz, pour
grignoter un gâteau ou un panini.

East Village

Mudspot – **C6** - *307 East 9th St.* - Ⓜ *Astor
Pl.* - ℘ *212 228 9074.*

Petit café sympathique à toute heure, aussi bien pour un brunch que pour un snack ou l'apéro.

The Bourgeois Pig – C7 - *111 East 7th St. (entre 1st Ave. et Ave. A)* - M *Astor Pl.* - 𝒫 *212 475 2246 - 18h-2h, w.-end 18h-3h.* Ambiance de boudoir baroque dans ce bar à vins et à champagnes aux lustres extravagants et aux fauteuils tapissés. Desserts succulents.

Anyway Café – C7 - *34 East 2nd St. (entre Bowery et 2nd Ave.)* - M *2 Ave.* - 𝒫 *212 533 3412.* Entre ambiance russe et tsigane, on y boit de la vodka tout en grignotant des blinis.

Chelsea

Cocoa V – B5 - *174 9th Ave.* - M *18th St.* - 𝒫 *212 242 3339.* Chocolats fins et desserts au chocolat à déguster avec une boisson chaude ou un verre de vin. Propose aussi des snacks salés.

Prudence Café – B6 - *228 West 18th St.* - M *18th St.* - 𝒫 *212 691 1541.* Petit salon de thé chaleureux où se lover dans un fauteuil moelleux.

Union Square

City Bakery – B6 - *3 West 18th St. (entre 5th et 6th Ave.)* - M *Union Square.* - 𝒫 *212 366 1414.* L'une des pâtisseries les plus réputées de la ville, pour une pause sucrée ou un snack plus sérieux.

Max Brenner – C6 - *841 Broadway (entre 13th et 14th Sts)* - M *Union Square* - 𝒫 *212 388 0030 - lun.-jeu. 8h-23h, vend.-sam. 8h-1h, dim. 9h-23h.* À l'entrée, des chaudrons remplis de liquide fumant et une carte presque exclusivement dédiée au chocolat !

West Midtown

Sarabeth's – D4 - *40 Central Park South (entre 5th et 6th Aves)* - M *5th Ave.* - 𝒫 *212 826 5959.* Idéal pour le petit-déjeuner ou la pause gâteaux. Les pâtisseries sont exquises !

Oak Room & Bar – D4 - *5th Ave. et Central Park South* - M *5th Ave.* - 𝒫 *212 759 3000.* Le bar du mythique hôtel Plaza, avec ses murs en chêne sculpté : un luxe qui a un prix…

East Midtown

Campbell Apartment – C5 - *Grand Central Terminal, 15 Vanderbilt Ave.* - M *Grand Central* - 𝒫 *212 953 0409.* Le bureau d'un homme d'affaires transformé en élégant bar à cocktails.

Upper East Side

Serendipity 3 – D4 - *225 East 60 th St. (entre 2nd et 3rd Ave.)* - M *59th St.* - 𝒫 *212 838 3531.* Décor kitsch pour un café-salon de thé qui fait aussi restaurant. Les enfants adorent cette adresse que fréquentait Andy Warhol.

Café Sabarsky at the Neue Galerie – E3 - *1048 5th Ave.* - M *86th St.* - *lun. et merc. 9h-18h, jeu.-dim. 9h-21h, fermé mar.* Adjacent au musée, cet élégant café viennois sert de délicieuses pâtisseries.

Upper West Side

Hungarian Pastry Shop – D2 - *1030 Amsterdam Ave.* - M *Cathedral Parkway.* Face à la cathédrale St John the Divine, ce café hongrois chaleureux a été filmé par de nombreux cinéastes, notamment Woody Allen.

31

Sortir

En règle générale, **Downtown** (au sud de la 30th St.) est la partie de Manhattan la plus animée en soirée. C'est là que vous trouverez les adresses branchées de la ville. West Midtown, avec **Broadway** et **Times Square**, est le quartier des théâtres. **Upper West Side** reste incontournable pour les salles de concerts de qualité, notamment le Lincoln Center. Au nord, **Harlem** est le fief du jazz et du blues. Enfin **Brooklyn** – particulièrement **Williamsburg** – est apprécié pour ses restaurants-bars. Si vous souhaitez vivre une expérience inoubliable, rendez-vous à **Harlem** pour une messe gospel (dimanche matin, 9h et 11h). Elles durent 1h et alternent prêches enflammés et chants entraînants (prévoyez de la monnaie pour la quête).

Journaux (sortie le mardi) – *New York Magazine*, *Time Out New York* (payants), et *The Village Voice* (gratuit) répertorient les concerts, les spectacles et les films.

Sites Internet – Pour une billetterie en ligne : www.gotickets.com, www.tickco.com, www.ticketmaster.com.

Kiosques TKTS – *Duffy Square (West 47th St. entre Broadway et 7th Ave.) et South St. Seaport (angle Front et John Sts)* - ✆ 212 221 0013. Billets de spectacles vendus de 25 à 50 % moins chers, pour les représentations de l'après-midi, du soir ou du lendemain. Règlement par espèces ou chèques de voyage.
Les carroyages en rouge renvoient au plan détachable.

Soho

SOB's (Sound of Brazil's) – B6 - *204 Varick St. (près de Houston St.)* - Ⓜ *Houston St.* - ✆ *212 243 4940* - *www.sobs.com*. Une adresse échappant aux classements. Ambiance chaleureuse et lumières tamisées, concerts tous les soirs : salsa, samba, reggae ou hip-hop. Le mercredi, cours de salsa gratuits. Le samedi, spectacle de danse brésilienne et de capoeira avant le concert.

Lower East Side

The Box – C7 - *189 Chrystie St.* - Ⓜ *Grand St., Bowery* - ✆ *212 982 9301* - *www.theboxnyc.com*. Ce café-théâtre entend recréer une atmosphère de cabaret : numéros burlesques, contorsionnistes, marionnettes, claquettes, beatboxing… Décapant !

Bowery Ballroom – B7 - *6 Delancey St.* - Ⓜ *Bowery* - ✆ *212 533 2111* - *www.boweryballroom.com*. Salle de concerts, l'une des meilleures de New York, et bar, où se produisent les groupes de rock les plus connus comme les nouveaux venus talentueux. Très bonne acoustique.

West Village

55 Bar – B6 - *55 Christopher St. (près de 7th Ave.)* - Ⓜ *Christopher St.* - ✆ *212 929 9883* - *www.55bar.com* - *tlj 18h-2h*. Dans une petite salle datant de la période de la Prohibition, concerts de jazz et de blues de grande qualité, tous les soirs.

Intérieur du café-théâtre The Box (ci-dessus).

Village Underground – B6 -
130 West 3rd St. (près de 6th Ave.) - Ⓜ
West 4th St. - ✆ *212 777 7745 - www.
thevillageunderground.com - à partir
de 21h30 - 15 $.* C'est l'ancien Gerdes'
Folk City, salle légendaire des années
1960-1970 où ont joué Bob Dylan,
Joan Baez, Simon & Garfunkel… Club
intimiste réputé pour sa programmation
éclectique (rock, funk, world music…).

Beatrice Inn – B6 - *285 West 12th St.
(près de West 4th St.)* - Ⓜ *Union Sq.* -
✆ *212 243 4626.* Un nouveau succès
de l'équipe qui a monté le Paris-Paris
et Le Baron à Paris. Malgré sa façade
décrépite, c'est LE club sélect de New
York, des stars et de la jeunesse dorée.

East Village

Lit – C7 - *93 2nd Ave. (entre 5th et 6th Sts)* -
✆ *212 777 7987 - www.litloungenyc.com.*
On y écoute du rock underground ou
on y danse sous la houlette de très bons
DJs. Clientèle jeune et pas snob.

Joe's Pub – C6 - *425 Lafayette St. (entre
East 4th St. et Astor Pl.)* - ✆ *212 539 8778 -
www.joespub.com - 18h-4h.* Cabaret (on
peut y dîner) à la programmation riche.
Alice Coltrane, Norah Jones, Hawksley
Workman ou Jamie Cullum y ont joué.

Chelsea

Highline Ballroom – B6 - *431 West
16th St. (entre 9th et 10th Ave.)* - ✆ *212 414
5994 - www.highlineballroom.com.*
Belle salle avec *dancefloor*, acoustique
impeccable et programmation
recherchée, du hip-hop à l'électro :
Rahzel, Ellen Allien, Mos Def, Lou Reed
ou encore Hot Chip sont passés par là.

West Midtown

B.B. King Blues Club – C5 - *237 West
42nd St. (entre 7th et 8th Sts)* - ✆ *212 997
4144 - www.bbkingblues.com.* L'un des
grands clubs de la 42nd St., propose des
concerts de qualité et une chaleureuse
formule *gospel brunch* le w.-end.

Upper West Side

The Underground – D2 - *955 West End
Ave. (angle 107th St)* - ✆ *212 531 4759 -
www.theundergroundnyc.com - jusqu'à
4h.* Excellent club de jazz, blues, rock…

Harlem

Apollo Theater – E1 - *253 West
125th St.* - Ⓜ *125th St.* - ✆ *212 531 5305 -
www.apollotheater.com.* LA salle
mythique où écouter du jazz, du R & B
et de la soul. Les fameux concerts du
mercredi *(Amateur Night)* permettent de
découvrir les talents de demain.
✆ *voir aussi « Visiter Harlem » p. 114.*

Canaan Baptist Church – E2 -
*132 West 116th St. (près d'Adam Clayton
blvd)* - Ⓜ *116th St.* **First Corinthian
Baptist Church** – E2 - *1912 Adam
Clayton Blvd (angle 116th St.)* - Ⓜ *116th St.*
Deux églises pour assister à une messe
gospel, le dim. matin. Places limitées :
arrivez tôt.

Williamsburg

The Knitting Factory – D7 -
361 Metropolitan Ave. - Ⓜ *Bedford Ave.*
- ✆ *347 529 6696 - www.knittingfactory.
com.* Bar et concerts éclectiques, de
l'acid jazz au rock et à l'électro.

Shopping

Où acheter ?

Pour un après-midi shopping dans les grands magasins, rendez-vous du côté de Midtown et de l'Upper East Side. Les boutiques de luxe se trouvent sur Madison Avenue, sur la 57th Street et à Soho. La 5th Avenue regroupe des magasins variés. Pour les modes baba cool et néopunk, dirigez-vous vers l'East Village et Harlem. Les galeries d'art et la décoration haut de gamme se concentrent, quant à elles, à Chelsea et à Tribeca. Les **journaux** (voir « Sortir » p. 32) annoncent dates et sites de soldes.

Que rapporter ?

Les **souvenirs aux couleurs de New York** envahissent les boutiques touristiques autour de Times Square et de la 5th Avenue. Disponibles dans les **grands magasins**, les principales marques américaines diffusent des modèles introuvables en France. Les meilleures affaires, en matière d'habillement ou de décoration, se font dans les **magasins spécialisés** dans les fins de série, tel Century 21. Les **friperies** sont le nec plus ultra à New York où le comble du branché est de s'habiller à la mode des *fifties/sixties* ou des années 1980. Les **magasins de sport** proposent jeans, baskets, tee-shirts des équipes américaines de sport et, plus généralement, tout ce qui fait la mode de la rue *(streetwear)*. Au fil de vos balades, vous découvrirez une **foule d'objets** pour la maison, mais aussi des CD ou vinyles, des instruments de musique, des beaux livres, des jouets… Les boutiques des musées vendent affiches, copies d'objets, livres d'art. Les prix de l'**électronique** vous laisseront rêver, notamment pour les baladeurs MP3, assistants personnels, agendas électroniques, appareils photo numériques. N'oubliez pas de rajouter la taxe de 8,65 %. *Les carroyages en rouge renvoient au plan détachable.*

Lower Manhattan

Century 21 – A8 - *22 Cortlandt St. (entre Church St. et Broadway)* - Ⓜ *Cortland St. -* 𝄐 *212 227 9092 - www.c21stores. com - lun.-merc. 7h45-20h, jeu. 7h45-22h, vend. 7h45-20h30, sam. 10h-20h, dim. 11h-19h.* Un immense magasin voué au discount de grandes marques américaines et européennes. Il faut fouiller, car il y a beaucoup de kitsch, mais on trouve de vraies bonnes affaires.

Nolita

INA Nolita – B7 - *21 Prince St. (entre Elizabeth et Mott Sts)* - Ⓜ *Spring St. -* 𝄐 *212 334 9048 - 12h-19h (vend. et sam. 20h).* Friperie de luxe, articles souvent peu portés, en très bon état, à bon prix.

Tribeca

Philip Williams Posters – A7 - *122 Chambers St.* - Ⓜ *Chambers St. -* 𝄐 *212 513 0313.* Affiches anciennes à la gloire de stars passées ou de marques mythiques. Styles rétro ou délirants.

Soho

Anthropologie – **B7** - *375 West Broadway (entre Broome et Spring Sts)* - Ⓜ *Canal St., Spring St.* - ☎ *212 343 7070.* Mode décontractée très « côte Est ». On y trouve des petites robes sympas, des accessoires et des objets pour la maison. Un peu de l'art de vivre des jeunes « bobos » locaux… Une seconde adresse à **Chelsea Market** – **B6** - ♿ *Voir « Chelsea » p. 72.*

Prada – **B7** - *575 Broadway (angle Prince St.)* - Ⓜ *Prince St.* - ☎ *212 334 8888.* On vient surtout pour l'architecture hallucinante imaginée par Rem Koolhaas : design aéré et gigantesque vague de bois aux allures de rampe de skateboard !

Uniqlo – **B7** - *546 Broadway (près de Spring St.)* - Ⓜ *Canal St.* - ☎ *212 237 8800.* Toute la créativité de la mode japonaise dans cette enseigne à bas prix : pulls en cachemire de toutes les couleurs, vestes et pantalons aux coupes impeccables et tee-shirts d'artistes.

Zachary's Smile – **B7** - *317 Lafayette St. (près de Houston St.)* - Ⓜ *Broadway/ Lafayette St.* - ☎ *212 965 8248.* Vêtements vintage et petites marques pointues pour une mode urbaine et colorée.

Lower East Side

Economy Candy – **C7** - *108 Rivington St. (entre Ludlow et Essex Sts)* - Ⓜ *Essex St.* - ☎ *212 254 1531 - www.economycandy. com - tlj 9h-18h sauf sam. 10h-17h.* Dans ce magasin familial, des rayonnages entiers proposent bonbons, barres chocolatées et fruits secs, avec ou sans sucre !

Daha Vintage – **C7** - *175 Orchard St. (entre Stanton et Houston Sts)* - Ⓜ *Delancey St.* - ☎ *212 388 1176.* Vêtements vintage présentés dans un bel et grand espace : robes *fifties*, manteaux de fourrure et un grand choix de chaussures. Cela reste assez cher, mais on peut y faire de vraies trouvailles.

West Village

C. O. Bigelow – **B6** - *414, 6th Ave. (entre West 8th et 9th Sts)* - Ⓜ *Christopher St.* - ☎ *212 533 2732 - www.bigelowchemists. com - lun.-vend. 7h30-21h, sam. 8h30-19h, dim. 8h30-17h.* La plus vieille pharmacie des États-Unis (1838) ! Dans un décor complètement rétro, vous y trouverez le meilleur de la cosmétique internationale ainsi que la ligne de produits C. O. Bigelow aux formules ancestrales : baume à la rose, crème à l'extrait de citron, savon à la menthe, huiles essentielles…

Urban Outfitters – **B6** - *angle 14th St. et 6th Ave.* - Ⓜ *6th Ave.* - ☎ *646 638 1646 - www.urbanoutfitters.com.* Sur deux niveaux, l'enseigne des aspirants yuppies propose vêtements *streetwear* et objets de déco, collant au plus près à la mode du moment.

Marc Jacobs – **B6** - *385 Bleecker St. (angle Perry St.)* - Ⓜ *Christopher St.* - ☎ *212 924 6126 - 12h-22h.* La boutique discount du styliste emblématique du New York de ces deux dernières décennies : sacs, bijoux, porte-monnaie, tee-shirts en série limitée… À quelques dizaines de mètres, boutiques pour l'homme et la femme.

Manhattan, Times Square, mannequin dans une vitrine.

Rugby – **B6** - *99 University Pl.* - Ⓜ *8th St.* - ℰ *212 677 1895*. Créée par Ralph Lauren, cette enseigne résume à la perfection l'esprit campus et l'*american way of life* de la côte Est. Style sport chic de qualité.

East Village

Physical Graffiti Vintage – **C7** - *96 St. Marks Pl.* - Ⓜ *Astor Pl.* - ℰ *212 477 7334*. Une des friperies en vogue à New York. On y trouve des robes des années 1940 à 1960, des sacs rétro, des bijoux fantaisie…

Patricia Field – **B7** - *302 Bowery (entre Bleecker et Houston Sts)* - Ⓜ *Astor Pl.* - ℰ *212 966 4066*. La boutique de la styliste de *Sex and the City* et du *Diable s'habille en Prada* : vêtements, lunettes, accessoires… à tous les prix.

John Varvatos – **C7** - *313-315 Bowery (face à Bleecker St.)* - Ⓜ *Astor Pl.* - ℰ *212 358 0315* - *www.johnvarvatos. com*. Une boutique de mode (chère) dans l'ancien CBGB, club de rock mythique où ont démarré Blondie et les Ramones ! Certains crieront au sacrilège, les autres peuvent s'y rendre en pèlerinage : le styliste a voulu conserver l'esprit du lieu, les murs et la scène sont restés intacts.

Kim's – **C6** - *6 St. Marks Pl.* - Ⓜ *Astor Pl.* - ℰ *212 598 9985* - *www.mondokims. com*. Un des disquaires indépendants les plus prisés de la ville. On y trouve aussi bien le dernier album de Madonna que celui du groupe de rock en vogue dans l'underground new-yorkais. Également : vente et location de DVD.

Chelsea

OMG – **B5** - *217, 7th Ave. (entre 22nd et 23rd Sts)* - Ⓜ *23rd St.* - ℰ *212 807 8650*. L'une des adresses d'une chaîne de jeaneries qui vend les marques classiques : Levi's, Lee, Wrangler, Pepe Jeans, Calvin Klein ou Ralph Lauren, mais à prix réduit. Si vous n'êtes pas fixé sur un modèle, vous ferez de bonnes affaires.

Angel Thrift Shop – **B6** - *118 West 17th St. (entre 6th et 7th Aves)* - Ⓜ *18th St.* - ℰ *212 229 0546* - *www.angelthriftshop. org*. Les recettes de ce dépôt-vente bénéficient à des associations de toxicomanes, de séropositifs et de malades mentaux. Grandes marques et particuliers cèdent vêtements, meubles et accessoires. Belles pièces à des prix imbattables.

Union Square

Strand – **C6** - *828 Broadway (angle 12th St.)* - Ⓜ *14th St./Union Sq.* - ℰ *212 473 1452* - *www.strandbooks.com* - *tlj 9h30 (dim. 11h)-22h30*. Une librairie sur trois niveaux pratiquant des prix cassés : livres d'art épuisés, livres en anglais toutes disciplines confondues, littérature étrangère… Section de livres rares.

The Garage – **B5** - *112 West 25th St. (entre 6th et 7th Aves)* - Ⓜ *23rd St.* - ℰ *212 243 5343* - *www.hellskitchenfleamarket. com* - *w.-end. 9h-17h*. Mobilier des années 1950, manteaux de fourrure et vêtements vintage, photos sépia, vieilles caméras… Les rebuts de la société de consommation se trouvent sur les stands de ce *fleamarket* (marché aux puces), répartis sur deux étages de parking. À quelques mètres de là, entre les 5th et 6th Avenues, un autre marché, à ciel ouvert. Service de navettes (1 $) entre The Garage et **Hell's Kitchen Flea Market** (39th St. entre 9th et 10th Aves).

West Midtown

Macy's – **C5** - 151 West 34th St., Herald Sq. - ⓜ 34th St./Herald Sq. - ℘ 212 695 4400. Pratiquement tout ce que l'on veut acheter se trouve chez Macy's, depuis le coin des grandes marques jusqu'au collier pour chien ! ⓒ voir aussi p. 77.

B & H – **B5** - 420, 9th Ave. (près de 34th St.) - ⓜ 34th St./Penn Sta. - ℘ 212 502 6380 - www.bhphotovideo.com - fermé vend. apr.-midi et sam. Le magasin des professionnels de l'image. Vaste choix de matériel photo et vidéo.

NBA Store – **D4** - Angle 5th Ave. et 52nd St. - ⓜ 5th Ave./53rd St. - ℘ 212 515 6221. Tous les maillots, accessoires et gadgets des fans de basket.

East Midtown

Saks 5th Avenue – **C5** - 611, 5th Ave. (entre 49th et 50th Sts) - ⓜ 5th Ave. - ℘ 212 753 4000 - ouv. le dim. Une autre enseigne de légende, ouverte en 1924. On y trouve tous les designers et les grandes marques, sur dix étages.

Brooks Brothers – **C5** - 346 Madison Ave. (angle 44th St.) - ⓜ 5th Ave. - ℘ 212 682 8800 - ouv. le dim. Le tailleur

chic, des acteurs des années 1950 aux businessmen d'aujourd'hui. Chemises sur mesure ou demi-mesure, costumes, cravates…

Niketown – **D4** - 6 East 57th St. - ⓜ 5th Ave. - ℘ 212 891 6453. Toutes les dernières nouveautés de la marque au Swoosh, dans un espace ultra-moderne.

FAO Schwarz – **D4** - 767, 5th Ave. (entre 58th et 59th Sts) - ⓜ 5th Ave. - ℘ 212 644 94 000 - www.faoschwarz. com - ouv. le dim. Un piano géant sur lequel on danse pour jouer, un rayon de poupées à se damner (les mères craquent plus que les filles…) et une foule de jouets intelligents. Le rayon des maisons de poupées est une curiosité à lui tout seul, avec ses stupéfiantes miniatures.

Upper East Side

Barneys – **D4** - 660 Madison Ave. (angle 61st St.) - ⓜ 5th Ave./59th St. - ℘ 212 826 8900 - www.barneys.com. Le plus tendance des grands magasins, avec une belle sélection de jeunes designers. La clientèle est nettement plus jeune, mais cela reste cher.

Dylan Candy Bar – **D4** - 1011 3rd Ave. (angle 60th St.) - ⓜ 59th St. - ℘ 646 735 0078. Une profusion de bocaux de bonbons de toutes les couleurs et de tous les parfums avec boîtes à garnir de différentes tailles. Sucettes géantes, gadgets et tee-shirts pour ceux qui hésitent…

40

C. Heeb / h

Visiter New York

41

New York aujourd'hui

L'écrivain américain E. B. White ne s'y était pas trompé, il y a trois New York : «… *le New York de celui ou celle qui y est né, accepte la ville telle qu'elle est et considère sa taille et son agitation comme naturelles et inévitables ; le New York du banlieusard – cité envahie par des sauterelles chaque jour, et chaque nuit défiée ; enfin le New York de la personne née ailleurs, venue y chercher quelque chose. Alors que les banlieusards procurent à la ville son mouvement incessant, les natifs lui confèrent solidité et continuité, et ce sont les nouveaux arrivants qui y insufflent de la passion.* »

Dans le taxi ou le bus qui mènent à Manhattan, la première impression est un mélange subtil de déjà-vu et d'émerveillement. Mille fois exhibée dans les films et les séries télé, New York peut se montrer familière au premier abord, mais le poids de sa démesure, l'énergie de ses habitants, la fierté de ses hauts gratte-ciel, et le besoin constant de renouvellement constituent un véritable choc.

Avec 36 % de New-Yorkais nés à l'étranger, le « melting-pot » n'est pas un vain mot ! À chaque sortie de métro, c'est le dépaysement. On passe d'un monde à l'autre en quelques stations : traders et yuppies à Wall Street, communautés asiatiques à Chinatown et Flushing (Queens), Juifs hassidiques dans le Lower East Side et à Williamsburg, grands bourgeois dans l'Upper East Side, *fashion victims* sur la 5th Avenue et à Soho, étudiants à Washington Square et dans l'Upper West Side…

Il est impossible de parcourir toute la diversité new-yorkaise en un week-end, mais vous pourrez en survoler une partie et repartir plein d'impressions fortes ! Contrairement à la plupart de ses consœurs américaines, New York, malgré sa taille, est une ville qui se découvre d'abord à pied : la densité de ses curiosités et de ses bonnes adresses le permet et l'oblige. Du dédale de rues de Downtown, la trame prend la forme d'un plan en damier au-delà du Civic Center, et plus encore de Houston Street puis de la 14th St. C'est là, un peu plus haut, que vous pourrez débuter votre séjour, à Midtown.

Midtown, pour prendre de la hauteur et mieux considérer le gigantisme de la cité, l'extravagance de ses constructions verticales : pour cela, gagnez les sommets de l'**Empire State Building** ou du **Rockefeller Center**. Le **MoMA** et ses fabuleuses collections d'art moderne se situent à seulement quelques stations de métro. De là, rendez-vous à pied à **Central Park** pour un pique-nique, avant un après-midi de shopping sur la **5th Avenue**. Les enseignes prestigieuses telles que Tiffany's, Saks ou Brooks Brothers y côtoient les marques américaines plus populaires. Le soir, à West Midtown, découvrez, illuminé par des milliers de néons aux couleurs criardes, le mythique **Times Square**

42

où vous trouverez au kiosque TKTS des billets à prix réduits pour une comédie musicale à **Broadway**. S'il vous reste de l'énergie, le **Meatpacking District**, ancien quartier des abattoirs, regorge de clubs en vogue bondés tous les soirs ! La journée du lendemain peut commencer par une croisière en bateau, au départ de la pointe sud de Manhattan vers Liberty Island (**statue de la Liberté**) et Ellis Island (**musée de l'Immigration**). Dans **Lower Manhattan**, centre financier et politique de New York, vous arpenterez **Wall Street**, découvrirez le Civic Center et la plaie encore ouverte de **Ground Zero**. Faites des affaires à Century 21, où les vêtements griffés Donna Karan ou Narciso Rodriguez sont soldés jusqu'à - 70 %, puis remontez jusqu'à **Chinatown** pour un dépaysement complet. Après une pause dans un café de **NoLIta** («North of Little Italy »), poursuivez votre balade dans le **Lower East Side**, quartier historique de l'immigration juive, aujourd'hui envahi par une faune branchée à la recherche de petites **scènes alternatives**. C'est là que sévit la folie des **friperies** vintage. De l'autre côté de Lafayette Street, à **Soho**, Mecque du **shopping**, on s'extasie devant les immeubles aux façades en fonte et on se livre à la fièvre consommatrice ! Le soir, allez dîner chez Giorgione, Freeman's ou Nobu 57, puis choisissez selon votre goût : rock dans l'**East Village**, ancien quartier des **beatniks** et des hippies, ou jazz dans le **West Village**, autrefois le fief des **intellectuels** contestataires.

Le dimanche matin, assistez à une messe **gospel** à **Harlem** avant d'aller bruncher dans un restaurant de « soul food », la cuisine du sud des États-Unis. De là, prenez un taxi pour le **Museum Mile**, entre l'**Upper East Side** et El Barrio, et choisissez parmi les plus beaux musées du monde : **Guggenheim**, **Met** ou **Frick Collection**. Dirigez-vous vers la 25th St., où les meilleures affaires du marché aux puces se font en fin d'après-midi ! Le soir, découvrez les tables et comptoirs de **Brooklyn**, dans le quartier huppé de Brooklyn Heights ou chez les artistes, à **Williamsburg**.
Si vous passez plus de temps à New York, n'hésitez pas à explorer les autres *boroughs*, en contraste avec un Manhattan de plus en plus embourgeoisé. Dans le **Queens**, visitez le **P.S.1**, l'aile du MoMA dédiée à l'art contemporain, et déjeunez de spécialités grecques à Astoria. À **Brooklyn**, promenez-vous dans **Prospect Park** après la visite du **Brooklyn Museum**, puis, l'été, piquez une tête dans l'Atlantique à **Coney Island**. Le temps vous faisant défaut, oubliez peut-être, pour cette fois, le Bronx et Staten Island, à réserver pour un prochain séjour ! De retour à Manhattan, les amateurs d'art contemporain ne manqueront pas de visiter, installées dans d'anciens entrepôts en bordure de l'Hudson, les **galeries** de **Chelsea**, un passage obligé. Dernier conseil : n'hésitez pas à pousser les portes ! Dans une ville d'**avant-garde**, on n'est pas à l'abri d'une nouvelle tendance !

Lower Manhattan★★

C'est ici que la ville est sortie de terre, ici que débute bien souvent l'aventure new-yorkaise. Lieu de tous les contrastes, avec sa skyline mythique et ses vieilles rues pavées, la pointe sud de Manhattan est une mine de symboles : Ground Zero au souvenir poignant, le pont de Brooklyn élancé à deux pas du port historique, Wall Street et la Bourse de New York, temples mondiaux de la finance, et, au loin, la silhouette familière de la statue de la Liberté.

➜**Accès :** En métro : toutes les stations de **Chambers St.** à **South Ferry** (lignes 1 à 5, 9, R et W). En bus : ligne 20 pour Battery Park (où se trouve l'embarcadère des bateaux pour la statue de la Liberté) et ligne 6 pour le reste du quartier.
Voir plan détachable A-B8 et plan détaillé p. 46-47.

➜**Conseil :** Pour photographier les gratte-ciel, rendez-vous le matin sur le pont de Brooklyn. La nuit, admirez la *skyline* illuminée depuis Brooklyn Heights. Pensez à réserver à l'avance votre visite à la Federal Reserve Bank ou au City Hall.

City Hall★

C1 (plan p. 46-47) - *visite guidée : tte l'année jeu. à 10h (durée 1h) sur rés., www. nyc.gov - dép. du Heritage Tourism Center (extrémité sud de City Hall Park).*
Reconnaissable à son haut clocheton, le City Hall (hôtel de ville) compte parmi les édifices les plus élégants de New York. Son intérieur géorgien (1812) s'abrite derrière une harmonieuse façade de marbre inspirée par la Renaissance française. Les architectes, pensant que la ville ne s'étendrait pas vers le nord, réalisèrent la façade arrière en grès brun ; ce n'est qu'en 1956 qu'elle fut recouverte de calcaire d'Alabama.

City Hall Park★

C1 (plan p. 46-47) – C'est dans ce qui était un champ de pommiers que fut lue, devant la foule, la Déclaration d'indépendance en juillet 1776.

Woolworth Building★★

C1 (plan p. 46-47) – *233 Broadway.*
Érigé en 1913 par l'architecte **Cass Gilbert** pour **Frank Woolworth**, qui possédait une chaîne de grands magasins, cet édifice de 241 m de haut demeura le plus haut gratte-ciel du monde jusqu'en 1930, date d'achèvement du Chrysler Building. Avec son étonnante profusion de gargouilles et pinacles, et son toit à clocheton vert en cuivre, il est considéré comme l'un des chefs-d'œuvre d'architecture de la ville. Son hall spectaculaire, haut de 3 étages, mêle fresques et mosaïques de styles gothique et byzantin.

Saint Paul's Chapel

C1 (plan p. 46-47) – ☎ *212 233 4164 - www.saintpaulschapel.org - lun.-vend. 10h-18h, sam. 10h-16h, dim. 7h-15h.*
La plus ancienne église de Manhattan

44

Le pont de Brooklyn et, en arrière-plan, le quartier financier, vus depuis Brooklyn Heights.

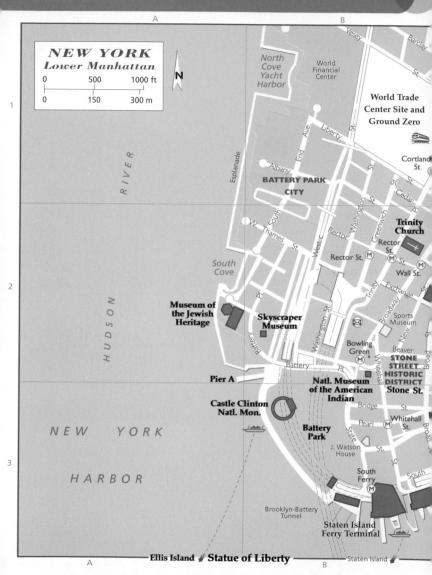

NEW YORK
Lower Manhattan

N

| 0 | 500 | 1000 ft |
| 0 | 150 | 300 m |

North Cove Yacht Harbor

World Financial Center

Vesey

Barclay

St.

World Trade Center Site and Ground Zero

Liberty

End Ave.

Cortland St

Esplanade

St.

Albany

BATTERY PARK CITY

Cedar Pl.

Trinity Church

Washington

Greenwich

St.

Rector

W. Thames St.

South

West

Rector

Rector St. Ⓜ

St. Ⓜ

Wall St.

St.

South Cove

Exchange

Museum of the Jewish Heritage

Marketfield

Washington St.

Trinity Pl.

Skyscraper Museum

Broadway

Sports Museum

New

Ⓜ

Bowling Green Ⓜ

Beaver

STONE STREET HISTORIC DISTRICT

Battery Pl.

Whitehall

Pier A

Stone St.

Natl. Museum of the American Indian

Bridge St.

Castle Clinton Natl. Mon.

Pearl

State

Ⓜ Whitehall St.

NEW YORK

Battery Park

J. Watson House

St.

South

HARBOR

South Ferry Ⓜ

Broad

Brooklyn-Battery Tunnel

Staten Island Ferry Terminal

Ellis Island ⚓ Statue of Liberty ——— Staten Island ⚓

RIVER

HUDSON

A

B

1

2

3

A

B

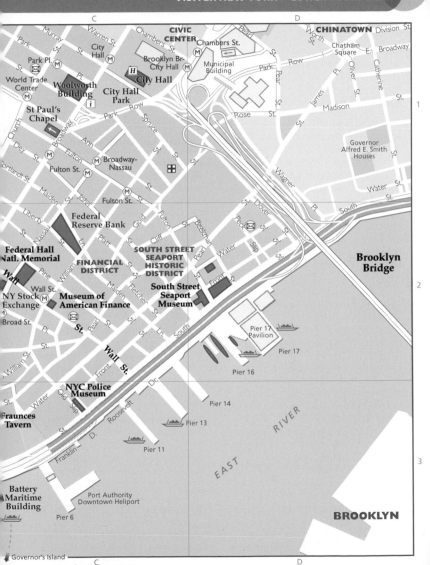

(1766), construite dans le style géorgien alors en vogue à Londres. Pompiers et sauveteurs vinrent s'y recueillir après l'effondrement du World Trade Center.

Ground Zero

B-C1 (plan p. 46-47) – New York et les États-Unis ont définitivement changé le 11 septembre 2001, quand les avions des terroristes ont foncé dans les tours jumelles du World Trade Center. Moins de deux heures plus tard, elles s'étaient effondrées sur elles-mêmes, à la face du monde qui regardait, horrifié, l'effroyable nuage de poussière avaler les symboles les plus orgueilleux de la réussite américaine. Deux fois 110 étages disparaissaient, engloutissant 2 752 victimes. Achevées en 1973 après onze ans de travaux, les tours culminaient à 411 m, dépassant de très loin leurs voisines. Elles représentaient 16 % de la surface de bureaux du Financial District (quartier des affaires). Environ 50 000 personnes y travaillaient. Aujourd'hui, l'immense surface vide laissée par la catastrophe est devenue « Ground Zero ». C'est de la partie sud-est du site que l'on voit le mieux l'ensemble du chantier et que l'on mesure son envergure. Le long de Church et Vesey Streets, le site est gardé par de hautes grilles plaquées de sobres panneaux évoquant le drame. Différents projets ont été lancés pour réhabiliter Ground Zero. Les intérêts divergents des politiques et des exploitants du site ont abouti à un imbroglio juridique et financier qui a retardé l'exécution du projet final de **Daniel Libeskind**, revu

par l'architecte **David Childs**. À terme (2014 ?), l'ensemble comportera un mémorial, un jardin, un musée, quatre immeubles et la **Freedom Tower**, une tour de 541 m. Notez, à l'ouest, le World Financial Center, au-delà du Winter Garden.

Financial District★★

C2-B3 (plan p. 46-47)
Wall Street – Son nom vient de la palissade qui protégeait la ville hollandaise. Abattue par les Anglais en 1699, elle fut remplacée par une rue qui devint l'emblème du capitalisme à l'américaine. Bordée de belles demeures géorgiennes et de cafés, Wall Street devint au 19e s. un important centre financier et, en 1920, la première place boursière du monde devant Londres. Elle n'a, depuis, jamais été surclassée malgré les krachs de 1929, 1987 et 2008. Lors de ces derniers, les faillites vidèrent de nombreux bureaux, transformés le plus souvent en résidences. Les attentats de 2001 contribuèrent également à l'exode des entreprises vers Midtown ou le New Jersey, de l'autre côté de l'Hudson River.
New York Stock Exchange (NYSE) – Cet édifice (1903) de 17 étages à l'architecture élégante abrite la **Bourse** de New York. Il est conçu à la manière d'un temple, avec colonnes corinthiennes et fronton sculpté d'une allégorie du commerce.
Stone Street Historic District★ – Il s'agit de la première rue pavée de Manhattan, entre Wall Street et l'East River. Protégée depuis 1996, elle a

Financial District, Wall Street.

conservé son charme d'antan avec ses immeubles de brique aux escaliers extérieurs en métal peint et l'activité bourdonnante de ses nombreux cafés.

Federal Hall National Memorial★ – *26 Wall St. - ☏ 212 825 6888 - www.nps. gov/feha - lun.-vend. 9h-17h - gratuit.* Situé à proximité du NYSE, ce bâtiment en forme de temple romain s'élève sur le site du premier hôtel de ville de New York (City Hall), construit en 1699 puis utilisé comme palais de justice. Réaménagé après l'Indépendance, il devint le **Federal Hall**, siège du premier Congrès des États-Unis. C'est ici que George Washington, élu président, prêta serment comme le montre sa statue. Le bâtiment actuel de 1842 abrita successivement les douanes et des services du Trésor.

Museum of American Finance – *48 Wall St. - ☏ 212 908 4110 - www.moaf. org - mar.-sam. 10h-16h - 8 \$.* Ce musée occupe depuis 2008 l'ancien siège de la **Bank of New York**, fondée en 1784 par Alexander Hamilton. La collection permanente y rassemble des documents sur l'histoire de Wall Street, le krach de 1929 et l'évolution des marchés financiers.

Federal Reserve Bank★

C2 (plan p. 46-47) – *33 Liberty St. - ☏ 212 720 6130 - www.ny.frb.org - visite guidée (1h) à réserver env. 1 mois à l'avance - pièce d'identité valide obligatoire - gratuit.* L'austère façade aux fenêtres fermées par des grilles et le sobre hall de pierre soulignent le rôle primordial de la

« Fed », comme on la surnomme, qui établit la politique monétaire des États-Unis, influant par ricochet sur l'économie mondiale. La chambre forte enterrée à plus de 24 m sous la rue, 15 m sous le niveau de la mer, abrite les milliards de dollars de réserves d'or appartenant aux États-Unis et aux banques centrales d'une soixantaine de pays, soit 25 à 30 % des réserves mondiales. Il s'agit du plus important stock existant au monde (plus de 10 000 tonnes).

Trinity Church★

B2 (plan p. 46-47) – *74 Trinity Pl. - www. trinitywallstreet.org - lun.-vend. 7h-18h, sam. 8h-16h, dim. 7h-16h - concerts certains lun. à 13h.* Construite en 1846, elle était alors le plus haut monument de New York. En grès rouge, de style néogothique, plutôt sobre, elle ne fut pas trop affectée par l'effondrement du World Trade Center, pourtant très proche. Le cimetière adjacent abrite des tombes du 17e s.

Museum of the Jewish Heritage★★

A2 (plan p. 46-47) – *36 Battery Pl. - ☏ 646 437 4305 - www.mjhnyc.org - tlj sf sam. 10h-17h45 (merc. 20h, vend. 15h) - fermé Thanksgiving et fêtes juives - 12 \$, gratuit merc. de 16h à 20h.* Un édifice d'une élégante simplicité et une muséographie réussie en font un passionnant musée de l'histoire juive. Le bâtiment comporte six façades et six niveaux de taille décroissante, rappelant les 6 millions de morts de l'Holocauste et les six pointes de l'étoile de David. Les documents présentés, en particulier les émouvantes **colonnes Klarsfeld**, racontent la Shoah, l'immigration juive aux États-Unis et le renouveau du judaïsme. Le café offre l'une des plus belles vues sur le port.

Skyscraper Museum★

B2 (plan p. 46-47) – *39 Battery Pl. - ℘ 212 968 1961 - www.skyscraper.org - merc.-dim. 12h-18h - 5 $.*
Expositions temporaires, maquettes, photos et plans mettent en valeur le patrimoine architectural de New York de façon attrayante, célébrant audacieusement les lignes verticales symbolisant la ville.

Statue of Liberty★★★

Hors plan A3 (p. 46-47) – *℘ 212 363 3200 - www.nps.gov/stli - juin-août : 1er ferry à 8h30, dernier à 16h30, ttes les 20mn ; sept.-mai : 1er ferry à 9h, dernier à 15h30, ttes les 25 à 45mn - visite guidée en anglais - audio tour en français 8 $ - traversée 15mn - attention, les sacs à dos ne sont pas acceptés sur les îles - 12 $, le prix comprenant le ferry, la statue de la Liberté et Ellis Island - en raison de l'affluence, il est conseillé de venir dès le premier bateau ou de réserver (℘ 1 877 523 9849, www.statuecruises. com) : dans le cas contraire, prévoyez 1 à 2h de queue - sur place, optez pour un pique-nique car les cafés sont bondés.*
Témoin de l'amitié liant les États-Unis à la France depuis la Révolution américaine, la statue de la Liberté demeure l'un des emblèmes les

plus forts du pays ! Le sculpteur **Frédéric Auguste Bartholdi** a choisi la liberté – ici personnifiée – pour symboliser l'entrée dans le Nouveau Monde et signifier à tous sa valeur primordiale. En 1884, la statue financée et construite à Paris par les Français était présentée à l'ambassadeur des États-Unis, puis démontée pour traverser l'Atlantique. Les fonds collectés par les Américains, grâce à l'intervention auprès du public du patron du *New York World*, **Joseph Pulitzer**, permirent la construction du piédestal. La statue, parvenue à New York en juin 1885, fut inaugurée le 28 octobre 1886.
La légende veut que Bartholdi lui ait donné le corps de sa femme et le visage de sa mère. Il fit d'abord un modèle en plâtre, puis fit appel à **Gustave Eiffel** qui construisit une carcasse de fer et d'acier de 125 tonnes. Il la recouvrit de 300 plaques de cuivre (100 tonnes) pour former la « peau » verte de la statue, qui mesure plus de 45 m de la base à la torche. Un homme tiendrait dans sa main (4,80 m de long) et son pied l'écraserait facilement. La torche, plaquée d'or, fut remplacée lors des travaux des années 1980.

Ellis Island and Immigration Museum★★

Hors plan A3 (p. 46-47) – *À votre arrivée, retirez au comptoir les billets pour le film, car les séances sont vite complètes.*
Ellis Island fut choisie, à partir de 1892, comme porte d'entrée des États-Unis pour les immigrants venus d'Europe. Le bâtiment de style Art nouveau, qui

51

52

servait à leur enregistrement, conserve de nombreux documents relatant les conditions de vie des millions d'immigrants, acceptés ou refoulés, qui patientaient là de longues heures, voire de longs jours. Le centre ferma en 1954.

Battery Park

B2-3 (plan p. 46-47) – Avant l'arrivée des Hollandais, l'extrêmité sud de Manhattan était couverte de terres marécageuses. La ceinture que forment actuellement Battery Park et les quais a été gagnée progressivement sur la mer. Le parc doit son nom aux deux batteries d'artillerie défensive installées lors de la guerre de 1812. La première est située sur Governors Island ; la seconde, Castle Clinton *(voir ci-après)*, occupait alors un autre îlot à 100 m du rivage. En 1870, on combla le passage entre le rivage et Castle Clinton, ménageant l'emplacement actuel de Battery Park. Depuis la **promenade**★ le long du confluent des deux rivières, vous apercevrez la statue de la Liberté, Ellis Island et les rives du New Jersey. Parmi les sculptures du parc, ne manquez pas la **Sphere**★ (Fritz Koenig, 1971), devenue un mémorial aux victimes du 11 Septembre. Installée sur la plaza centrale du World Trade Center avant les attentats, mais épargnée lors de l'effondrement des tours, elle devrait retrouver son site d'origine lors de l'achèvement du chantier.

Castle Clinton – *℘ 212 344 7220 - www.nps.gov/cacl - 8h30-17h - gratuit.* Ce fortin circulaire, qui abritait jadis une batterie d'artillerie, fut reconverti en 1821 en salle d'opéra : le **Castle Garden**. Puis il servit de centre d'accueil des immigrants (1855-1890) avant la construction du site d'Ellis Island. En trente-quatre ans, plus de 8 millions de personnes transitèrent par ses murs. De 1896 à 1941, il abrita le New York City Aquarium.

Pier A★ – C'est le plus vieux quai de Manhattan, vénérable structure de style victorien, terminée par une tour à horloge. Au sud du Pier A, le saisissant **American Merchant Marine Memorial** rend hommage aux naufragés d'un navire marchand torpillé durant la Seconde Guerre mondiale.

National Museum of the American Indian★★

B2 (plan p. 46-47) – *1 Bowling Green - ℘ 212 514 3700 - www.americanindian. si.edu - 10h-17h (jeu. 20h) - gratuit.* Le musée, hébergé dans l'imposant bâtiment des douanes (1907) conçu par Cass Gilbert, est doté d'une spectaculaire rotonde en ellipse décorée de fresques par le peintre new-yorkais Reginald Marsh (1898-1954). Créé en 1994 par la Smithsonian Institution, il se consacre à la présentation et à la préservation de la culture des Indiens d'Amérique, passée ou contemporaine. Le musée organise également des projections de films, des concerts et des spectacles de danse.

Staten Island Ferry★★

B3 (plan p. 46-47) – *Au bout de Whitehall St. - www.siferry.com - ttes les 30mn en journée, 15mn aux heures de pointe (7h-*

Statue de la Liberté.

*9h30 et 17h-19h) - piétons uniquement
- gratuit.*
Prenez un pull et un coupe-vent, car il peut faire très frais au large ! À l'aller, placez-vous sur la droite du bateau pour voir au loin la statue de la Liberté. Au retour, rejoignez l'avant afin de contempler l'arrivée sur Manhattan. Environ 20 millions de personnes empruntent chaque année ce ferry, principalement des employés se rendant à leur travail. Pour le visiteur, c'est une façon unique et gratuite de profiter de **vues** magnifiques sur la ville.

Battery Maritime Building★

B-C3 (plan p. 46-47) – *11 South St., au bout de Whitehall St.*
Ce joli bâtiment de style Art nouveau (1909), entièrement restauré, a retrouvé les couleurs d'origine de sa façade en fonte. Jusqu'en 1938, il accueillait le ferry pour Brooklyn. Il sert aujourd'hui de terminus à celui de Governors Island.

Fraunces Tavern★

B-C3 (plan p. 46-47) – *54 Pearl St. - ℰ 212 425 1778 - www.frauncestavernmuseum.org - mar.-vend. 12h-17h, sam. 10h-17h - 4 $.*
Ce haut lieu de la Révolution américaine abritait à l'origine la demeure d'un riche négociant, rachetée en 1762 par Samuel Fraunces, qui en fit une taverne. Les **Fils de la Liberté** s'y réunissaient couramment, et George Washington y célébra la victoire sur les Anglais. Elle vit également se dérouler de nombreuses réunions politiques lorsque New York

était capitale. Elle a été entièrement restaurée au début du 20e s. Ses pièces, habillées de meubles du 18e s., présentent des documents sur l'histoire de l'Indépendance.

NYC Police Museum★

C3 (plan p. 46-47) – *100 Old Slip - ℰ 212 480 3100 - www.nycpolicemuseum.org - lun.-sam. 10h-17h - 7 $.*
Cette collection de véhicules, d'armes et d'équipements divers évoque l'histoire et les transformations de la police de New York.

South Street Seaport Historic District★★

C2 (plan p. 46-47) – Situé au sud du Brooklyn Bridge, le port de New York, fondé au 17e s., fut le premier moteur de son économie. Quais, entrepôts, maisons de négoce gagnèrent en influence au fur et à mesure que le commerce international se développait. La création d'une ligne de ferry entre Fulton Street et Brooklyn (1814), l'ouverture de Fulton Market (1822), ancien marché au poisson reconverti en centre commercial, et celle du canal Érié en 1825 en firent un quartier bourdonnant d'activité. Durant la seconde moitié du 19e s., pourtant, l'East River vit décroître le trafic maritime au profit des nouveaux quais en eau profonde de l'Hudson River. Ce n'est qu'à partir de 1967, avec le classement du quartier en zone historique, que le port a retrouvé progressivement son attrait, distillant dès lors un peu de l'atmosphère du New York des débuts.

Le pont en chiffres

Il fut pendant vingt ans le plus long pont supendu du monde. Les travaux durèrent quatorze ans et coûtèrent 25 millions de dollars ; 27 ouvriers périrent sur le chantier. La travée centrale en acier, longue de 486 m, est soutenue par deux pylônes en granit qui plongent dans les eaux de l'East River, 41 m plus bas. Les deux arches culminent à près de 48 m au-dessus du tablier. Les câbles principaux du réseau de suspension métallique font 40 cm d'épaisseur. Le passage piétonnier, au sommet de l'édifice, fut reconstruit entre 1981 et 1983.

South Street Seaport Museum★

D2 (plan p. 46-47) – *Piers 16 & 17, Fulton St. - ℘ 212 748 8600 - www. southstreetseaportmuseum.org - avr.-déc. : mar.-dim. 10h-18h ; jan.-mars : jeu.-dim. 10h-17h - 15 $ (navires seuls, entrée 10 $).*

Le musée présente une importante collection de maquettes, instruments et documents, ainsi qu'un ensemble de vieux navires apponťés le long des Piers 15 et 16, le plus spectaculaire étant le *Peking*, un quatre-mâts de 1911. La visite se poursuit avec **Fulton Street★** et **Water Street★**, rues commerçantes réhabilitées comme au début du 19e s., avec quelques boutiques à l'ancienne.

Brooklyn Bridge★★★

D2 (plan p. 46-47) – Véritable prouesse technique du 19e s., ce célèbre pont suspendu qui relie Manhattan à Brooklyn fut inauguré en mai 1883. Avant sa construction, 50 millions de personnes environ prenaient chaque année le ferry pour traverser l'East River. Conçu par **John Augustus Roebling**, l'architecte du pont suspendu au-dessus des chutes du Niagara, il fut réalisé par son fils qui s'inspira des nouvelles techniques européennes. Pour bâtir les fondations, les ouvriers étaient immergés dans des caissons emplis d'air comprimé, mais le système n'étant pas très au point, nombre d'entre eux souffrirent de tympans crevés. Le pont, chef-d'œuvre d'esthétisme et d'ingénierie, est doté d'une allée centrale piétonnière qui s'élève au-dessus des voitures, passe sous les arches néogothiques en granit et file entre les puissants réseaux de câbles. Les **vues** sur Manhattan et le port sont spectaculaires.

55

Chinatown★★, Little Italy et Nolita

Chinatown, c'est l'Asie grouillante et colorée dont les enseignes rouge et or et les odeurs de cuisine assaillent les sens. De la sulfureuse Little Italy où les parrains de la mafia dictaient leurs lois, il ne demeure que des jambons et du parmesan, convoquant pour les touristes le souvenir de Cosa Nostra.

➜**Accès :** Métro **Canal Street** ou **Spring Street**. Voir plan détachable B7 et plan détaillé p. 64.

➜**Conseil :** Visitez Chinatown le matin lorsque le marché et les bazars de Canal Street ne sont pas encore trop bondés, puis Little Italy et Nolita, animés l'après-midi.

Chinatown★★

L'**immigration chinoise**, à New York, a commencé dans les années 1870. Dix ans plus tard, le quartier était réputé pour ses maisons closes, ses établissements de jeu et ses fumeries d'opium. Aujourd'hui, Chinatown, qui compte quelque 200 000 Asiatiques, fait partie des plus importantes communautés chinoises hors d'Asie.

Du côté de **Mott et Mulberry Streets**, les échoppes remplies de gadgets alternent avec les marchands de thé ou la pharmacopée exotique. À **Canal Street** sont proposées des copies d'articles de luxe.

Museum of Chinese in the Americas (Moca) – *211-215 Centre St. -* 📞 *212 619 4785 - www.mocanyc. org - mar.-dim. 12h-18h (vend. 19h).* Ce musée, qui présente les modes de vie de la diaspora chinoise en Amérique, a rouvert ses portes fin 2008 dans un nouvel espace conçu par la designer Maya Lin.

Little Italy

Les premiers immigrants italiens se regroupèrent dans ce quartier qui devint rapidement une plaque tournante du crime organisé contrôlé par la mafia. Aujourd'hui, Little Italy s'est vidé d'une partie de ses habitants, dispersés à travers la ville. Les rues ont retrouvé une certaine sérénité.

De quelques terrasses de **Mulberry Street** s'échappent encore des effluves méditerranéens de savoureux plats italiens.

Nolita

Cafés, petits restaurants et boutiques branchées parsèment la partie nord de Little Italy (Nolita signifiant « *North of Little Italy* »), qui n'a toutefois pas l'élégance d'un Soho ou d'un Chelsea.

Old Saint Patrick's Cathedral – De style néogothique (1815), elle fut jusqu'en 1879 la cathédrale catholique de New York.

Chinatown.

Tribeca★★ *et Soho*★★

Délaissé après le 11 Septembre, Tribeca offre désormais un heureux mélange de restaurants élégants, d'entrepôts aménagés en lofts chic et de galeries d'art. Outre ses boutiques de luxe, ses épiceries fines et ses bars à la mode, Soho est l'un des plus beaux conservatoires d'architecture en fonte du pays. Colonisé par les artistes à partir des années 1960, ce quartier, devenu trop cher pour eux, est désormais le havre des jeunes « bobos ».

➜**Accès :** Métro **Chambers St.**, **Franklyn St.** et **Canal St.** pour Tribeca ; **Houston St.**, **Broadway/Lafayette St.**, **Spring St.** et **Canal St.** pour Soho.
Voir plan détachable A-B 7 et plan détaillé ci-contre.

➜**Conseil :** Les amoureux d'art flâneront de préférence à Tribeca, le *New York Gallery Guide* sous le bras (disponible auprès d'un office de tourisme). Attention, les galeries sont fermées les dimanches et lundis. Ceux qui préfèrent le shopping se contenteront de Soho (boutiques ouvertes à partir de 10h). Les adeptes d'architecture visiteront les deux quartiers !

Tribeca★★

Le nom de ce quartier vient de la contraction de **TRI**angle **BE**low **CA**nal, bien que sa forme générale ressemble plus à un trapèze. Au début du 18e s., cet espace, attribué à Trinity Church par la reine Anne, accueillait les résidences de familles riches. Ce n'est qu'au milieu du 19e s., quand les quais de l'Hudson River supplantèrent le South Street Seaport, que les entrepôts envahirent le quartier. Ce fut la grande époque des immeubles à **structure en fonte** ou en brique, hauts de cinq ou six étages, abritant des bureaux ou des espaces de stockage. À la veille de la Seconde Guerre mondiale, le quartier était l'un des plus actifs de la ville, conjuguant industrie, services et commerce. Mais au cours des années 1960, il perdit de son attrait et,

condamné par le déclin de l'industrie et du port, il entama une lente agonie. En 1970, Tribeca et ses immeubles dégradés ne comptaient plus que 243 habitants. Heureusement, de nombreux artistes chassés de Soho par la flambée des prix émigrèrent ici et reconvertirent les entrepôts en ateliers et en galeries d'art. Aujourd'hui peuplé de plus de 10 000 personnes, dont un nombre croissant de célébrités – Robert De Niro, en particulier, est connu pour son investissement dans la vie de Tribeca –, le quartier est redevenu très attractif. Durant votre promenade, passez par **Washington Market Park,** qui fut jadis l'un des marchés les plus actifs de New York. Dans **Harrison Street Row**, une rangée de maisons de style fédéral, construites entre 1796 et 1828, donne une idée de ce que pouvait alors

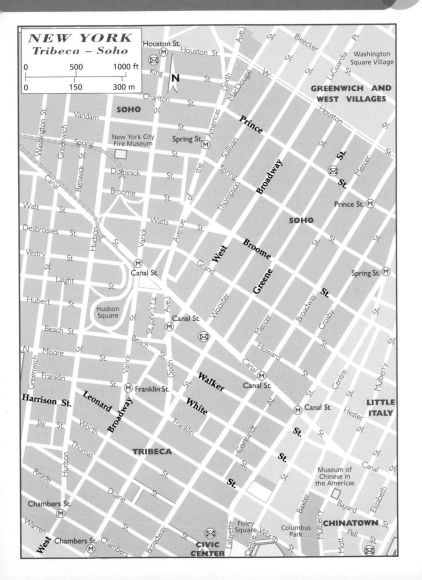

être Tribeca. Dans **Leonard Street** se dressent quelques immeubles imposants telle la Clocktower (siège de la New York Life Insurance Company) qui possède la dernière horloge mécanique en activité de la ville. Entre **West Broadway** et Broadway se retrouve l'architecture urbaine du 19e s., avec ses façades en brique de plusieurs couleurs ou ses jeux de colonnes en fonte. **White Street** en est un bon exemple. La **Synagogue for the Arts** se reconnaît à sa façade rebondie. **Walker Street** compte nombre de galeries et d'ateliers d'artistes. Vers l'ouest, l'**AT & T Headquarters Building** adopte le style Art déco si prisé à New York. Construit en 1918, il possède un hall aux mosaïques spectaculaires. Depuis quelques années, sous le parrainage de Robert De Niro, Tribeca est devenu le centre du cinéma new-yorkais. En 2002, l'acteur a en effet créé, avec Jane Rosenthal, le **Tribeca Film Festival**, estimant que New York méritait un festival de renom et que le quartier, durement touché par les attentats du 11 Septembre, y retrouverait du panache. Le nombre de films et la fréquentation sont au rendez-vous. On projette dans toute une série de salles de Lower Manhattan une sélection des meilleurs films du monde entier.

Soho★★

Soho, dont le nom vient de **SO**uth of **HO**uston st., est avec ses boutiques, ses restaurants et ses galeries d'art l'un des quartiers les plus chics de New York. Et pourtant, en 1644, il accueillit la première communauté noire de Manhattan, constituée d'anciens esclaves affranchis. Au début du 19e s., des bourgeois aisés, comme James Fenimore Cooper, auteur du *Dernier des Mohicans*, envahirent progressivement le quartier. À mi-chemin entre le Manhattan des affaires, au sud, et les grands manoirs chics des quartiers nord, Soho devint rapidement l'une des plus fortes densités de la ville. Théâtres, hôtels, restaurants, casinos et magasins se multiplièrent le long de Broadway et des rues environnantes. Pour accommoder les joyeux fêtards, Mercer Street se fit une spécialité des maisons closes, à tel point que les deux tiers des prostituées new-yorkaises en arpentaient les trottoirs… Devant tant de licence, les bourgeois bien-pensants délaissèrent finalement Soho pour des quartiers plus au nord, tandis que les commerces les plus florissants remontaient le long de la 5th Avenue. Durant la seconde moitié du 19e s., les résidences furent peu à peu remplacées par des entreprises, des bureaux, des entrepôts. Les architectes employèrent une nouvelle technique de construction : la **structure en fonte**. Découverte par les Anglais à la fin du 18e s., cette technique permettait d'ériger rapidement des immeubles présentant une variété et un raffinement de style inconnus jusqu'alors. Les façades plus légères, plus aérées avaient davantage de fenêtres. L'élément de base dessiné, le ferronnier réalisait un moule dans lequel était coulée la fonte. Les éléments, reproduits en nombre,

Soho, Wooster Street.

pouvaient être conjugués entre eux à l'infini, en fonction de la taille de l'édifice ou des demandes du client. L'ensemble était ensuite peint selon les goûts du commanditaire. Des rues entières furent ainsi bordées de gracieuses colonnades, de corniches et de frontons peints de délicates couleurs pastel. Au 20e s., Soho fut délaissé progressivement et, finalement, recolonisé par des artistes et des marginaux intéressés par ces vastes lofts et ces immenses surfaces aux larges fenêtres. Un mouvement dynamique naquit pour en sauver les façades et, après 1973 où Soho fut classé quartier historique, ce dernier devint le grand centre d'art contemporain de New York, attirant artistes et galeries d'art. Mais les prix flambèrent, provoquant l'exode de l'art et des musées vers Chelsea. Le caractère créatif, vibrant et bohème du quartier abandonna au chic de nouvelles boutiques en enfilade souvent hors de prix.

Broadway –À cet endroit de la ville, Broadway n'est pas le fief des théâtres, mais celui du commerce et des boutiques. À l'angle de Prince Street, l'**immeuble de Prada** *(no 575)* donne le ton : jadis site du Guggenheim Soho, il abrite désormais un élégant décor design dû à l'architecte Rem Koolhaas *(voir p. 36)*. Édifice de douze étages, le **Singer Building** *(nos 561-563)*, réalisé en 1903 par Ernest Flagg, a instauré avec son style Beaux-Arts typique une nouvelle ère pour les gratte-ciel. Il se reconnaît aisément à ses motifs floraux délicats en fer forgé et ses

surfaces vitrées. Le **E. V. Haughwout Building** *(nos 488-492)*, considéré en son temps (1857) comme un véritable « palais vénitien », avec ses arcades, ses balustrades et ses colonnes corinthiennes, fut le premier immeuble de la ville à façade de fonte et le premier équipé d'un ascenseur, installé par Elisha G. Otis.

Greene Street★ – Située plus à l'ouest, cette rue aligne la plus importante collection de façades en fonte. Les deux plus intéressantes, dessinées par Isaac F. Duckworth en 1872 dans le style Second Empire, sont surnommées **King and Queen of Greene Street** *(nos 72-76 et 28-30)* : porche grandiose soutenu par de hautes colonnes pour la première et toit mansardé aux lucarnes décorées pour la seconde.

Prince Street – Peuplée de nombreuses boutiques et galeries d'art, Prince Street accueille un édifice en fonte dont la façade figure, en trompe l'œil, un mur de briques : l'œuvre fut réalisée par le peintre Richard Haas en 1975.

Broome Street –Dans cette rue se dressent, à l'angle de Greene Street, le **Gunther Building** *(nos 469-475)*, une belle réalisation de 1873 en fonte, ou encore l'élégant édifice au no 448.

West Broadway – Art contemporain et boutiques de luxe occupent West Broadway : Armani, Elie Tahari, Dolce & Gabbana… La galerie OK Harris Works of Art *(no 383)* est l'une des premières à s'être établie dans Soho.

Lower East Side★

C'est le dimanche matin qu'il faut venir flâner ici, devant les étals alléchants d'Orchard Street, pour savourer quelques bagels croustillants. Porte d'entrée des immigrants qui s'entassaient jadis dans des taudis, le quartier a gardé une patine fatiguée, des façades sombres marquées de tags qui démentent sa nouvelle vocation de quartier ultra branché, au profit de lieux plus alternatifs. Bars, clubs et restaurants rivalisent de décors modernes chic et de récupération baba, et l'on y enterre la nuit au son du blues cool, du rock déchaîné ou de l'électro.

➜**Accès :** Métro : **Delancey Street** ou **Essex Street**. Voir plan détachable B7, C7, C8 et plan détaillé p. 64.

➜**Conseil :** Profitez d'un dimanche pour vous rendre au Lower East Side. Commencez par un brunch, puis flânez dans le marché d'Orchard Street (pas avant 10h). Le quartier est sympa le soir pour dîner. De nouveaux bars et restaurants ouvrent sans cesse : n'hésitez pas à pousser les portes, vous aurez parfois d'agréables surprises. Évitez le samedi, jour du sabbat, car certains commerces sont fermés.

63

Jusqu'à récemment, le Lower East Side, bon marché et multicolore, est resté le quartier des nouveaux arrivants, une sorte de sas entre leurs pays d'origine et l'immense New York. Aux 17e et 18e s., le site regroupait des chantiers navals, des usines et des abattoirs ainsi que des logements rudimentaires et bon marché dans lesquels s'entassaient les immigrants et leurs familles. Au maximum de son occupation, le Lower East Side est ainsi devenu la zone la plus densément peuplée au monde. Dès 1820, des communautés de **Noirs affranchis** et d'**Irlandais** se constituèrent dans le quartier tandis qu'une importante **communauté chinoise**, venue pour travailler à la construction des chemins de fer, s'installait à l'ouest de cette zone. Chassés de leur pays par la famine

après 1840, les **Irlandais** arrivèrent par centaines de milliers durant le 19e s., rejoints par les **Allemands**, fuyant guerres et ségrégation religieuse. La première vague d'**immigration juive**, d'origine allemande, fut suivie par celle des Juifs russes et polonais rescapés des pogroms. Les **Italiens**, débarqués dans la seconde moitié du 19e s., s'installèrent à proximité des Irlandais et fondèrent Little Italy. Les **Portoricains**, enfin, investirent ce quartier à la fin du 19e s. et durant la première moitié du 20e s. Même s'il reste une petite communauté juive attestée par les synagogues, les derniers immigrants vivant encore ici sont principalement latinos et asiatiques. Le Lower East Side perd aujourd'hui de plus en plus son caractère si particulier pour devenir l'un des endroits les plus

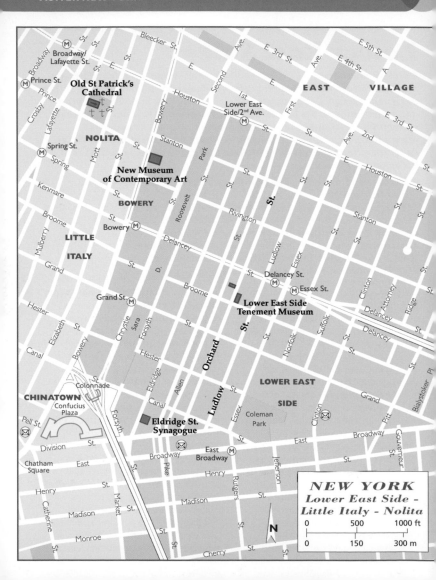

Bleecker St.
Broadway/
Lafayette St.
Prince St.
**Old St Patrick's
Cathedral**
EAST VILLAGE
Houston
Lower East
Side/2nd Ave.
NOLITA
Spring St.
**New Museum
of Contemporary Art**
Kenmare
BOWERY
Broome
Bowery
LITTLE
Mulberry
ITALY
Grand
Delancey
Hester
Grand St.
Broome
**Lower East Side
Tenement Museum**
Canal
Delancey St.
Essex St.
Hester
Orchard
LOWER EAST
CHINATOWN
Colonnade
Confucius
Plaza
Pell St.
Ludlow
SIDE
Coleman
Park
**Eldridge St.
Synagogue**
Division
Chatham
Square
East
East
Broadway
Broadway
Henry
Madison
Madison
Monroe
Cherry

NEW YORK
*Lower East Side -
Little Italy - Nolita*

0   500   1000 ft
0   150   300 m

N

Couture et cigares

Les débuts de la confection new-yorkaise se firent dans le Lower East Side par de jeunes femmes qui travaillaient à domicile. Le faible coût et l'abondance de la main-d'œuvre conduisirent par la suite à la création d'ateliers collectifs. Le quartier produisait également des cigares dont les fabriques étaient dirigées par des Portoricains. Les immigrants des Caraïbes y étaient naturellement embauchés.

à la mode chez les jeunes noctambules. En revanche, sa longue pauvreté a laissé des traces, et si beaucoup d'immeubles ont été rasés, certaines rues conservent un peu de l'atmosphère du premier New York avec leurs échoppes, leurs cafés et leurs constructions de brique percées d'étroites fenêtres et équipées d'escaliers à incendie en fer. Mais la récente flambée des prix de l'immobilier, l'apparition de restaurants et d'hôtels de luxe et une clientèle de plus en plus branchée ne leur laissent sans doute qu'un bref sursis. Il n'en reste pas moins que la remontée de **Ludlow Street**★ ou d'**Orchard Street** et les pauses casse-croûte dans les épiceries juives gardent un charme incomparable.

La partie sud d'Orchard Street est occupée par des magasins bon marché de vêtements et bagages de cuir, de confection bas de gamme et par quelques ateliers de décorateurs et de tapissiers ; sa partie nord, par les boutiques chics et les restaurants. Tous les dimanches, la rue est fermée à la circulation pour un marché en plein air dont l'ambiance, décontractée, hors du temps, est séduisante.

Lower East Side Tenement Museum★★

Plan ci-contre – *108 Orchard St. - ℘ 212 431 0233 - www.tenement.org - visite guidée uniquement : tlj 10h30-17h - attention, les groupes pour les visites guidées étant limités à 15 personnes, réservez la veille par Internet ou au 866 811 4111 - 20 $ - film gratuit, à l'arrière de la boutique du musée.*

Entre 1863 et 1935, quelque 7 000 personnes vécurent au 97 Orchard Street dans l'un de ces fameux immeubles de rapport, les **tenements**, qui sont un peu l'équivalent de nos H. L. M. Les appartements exigus, surpeuplés, étaient généralement pauvrement meublés. La visite présente les logements de différentes familles dont les pièces ont été conservées telles quelles. Les objets personnels et divers documents nous racontent leurs histoires : Juifs allemands ou polonais fuyant l'Europe, Siciliens catholiques immigrés clandestinement, Irlandais poussés au départ par la famine. Leurs misérables conditions de vie, l'entassement, le récit des malheurs qui

65

s'accumulent sur eux servent de toile de fond à un périple très émouvant. Un film évoque les vagues successives d'immigrants, relatant, à l'aide de documents d'époque et d'interviews, le quotidien de ces arrivants, souvent perdus dans un pays dont ils parlaient rarement la langue.

Eldridge Street Synagogue★

Plan p. 64 – *12 Eldridge St. - ℘ 212 219 0888 - www.eldridgestreet.org - dim.-jeu. 10h-16h - fermé fêtes juives et j. fériés - visite guidée jusqu'à 15h - 10 $.* Première synagogue fondée par les Juifs d'Europe orientale (1887), elle mêle, derrière une façade éclectique, les styles néo roman, néo gothique et pseudo-mauresque. L'intérieur recèle un riche mobilier en bois travaillé, dont le pupitre pour la lecture de la Torah et l'arche sacrée pour la ranger. Les femmes peuvent assister au culte uniquement depuis la tribune du balcon. Fermée en 1950, la synagogue resta en l'état jusqu'en 1980. Sa restauration a commencé avec les vitraux et les fresques en trompe l'œil.

New Museum of Contemporary Art★★

Plan p. 64 – *235 Bowery - ℘ 212 219 1222 - www.newmuseum.org - merc. et sam.-dim. 12h-18h, jeu.-vend. 12h-22h - 12 $.* Le nouvel espace de ce musée pionnier de l'art contemporain a été inauguré début 2008. Les architectes japonais Sejima et Nishizawa ont conçu une accumulation de cubes en zinc, qui abritent des collections orientées vers les nouveaux médias, le digital pop art et les installations.

Houston Street, affiche publicitaire.

West Village★★ *et Meatpacking District*★

Greenwich Village, c'est avant tout les poètes, les écrivains universels, les peintres et les contestataires, les accords de jazz ou de blues. C'est le terreau intellectuel de New York qui refait le monde dans ses cafés enfumés, le cadre de l'université et de ses étudiants, toujours en mouvement. Il faut s'y perdre au printemps, quand les pruniers du Japon posent leurs nuages de fleurs blanches au-dessus des perrons et que les tables des bars débordent sur les trottoirs, dans une ambiance bohème prisée par nombre de célébrités. Plus au nord, Meatpacking, arty et snob, attire toujours la clientèle la plus « hype » de la ville !

➔**Accès :** En métro, descendez à **Astor Place** ou **West 4th St**. Voir plan détachable A-B6 et plan détaillé ci-contre.

➔**Conseil :** Washington Square est agréable le week-end, quand les artistes de rue se donnent en spectacle. Le soir, pour le jazz, préférez Bleecker Street, et pour les clubs branchés, le Meatpacking District.

West Village★★

Quand on parle de **Village**, on désigne en général le West – ou Greenwich – Village. En 1696, les Anglais fondent la modeste bourgade de Greenwich. Durant le 18e s., de riches propriétaires s'y installent, mais le quartier conserve son allure campagnarde. Avec le 19e s. arrivent les changements : percée de la 5th Avenue au nord, développement des quais et des usines le long de l'Hudson. Les bourgeois laissent la place aux immigrants, mais aussi aux écrivains, artistes et activistes. Au tournant du 20e s., le Village devient le pôle de l'avant-garde américaine. Les clubs et les cafés servent de cadre à des réunions animées, où radicaux, poètes et peintres peuvent s'exprimer. Les années 1910 voient le groupe des Huit, aussi baptisé Ashcan School, organiser l'Armory Show ; les années 1920-1930 marquent l'âge d'or du jazz à New York ; la décennie 1940 voit l'éclosion en peinture de l'expressionnisme abstrait ; les *fifties*, la génération beat, et les années 1960, l'effervescence musicale folk. Cette ambiance de tolérance et d'ouverture favorise aussi, non sans heurts, la constitution d'une communauté gay.

Washington Square★

Plan ci-contre – Très populaire, le parc de cette place proche de la **New York University** ouvre sur la 5th Avenue par un arc de triomphe de style Beaux-Arts achevé en 1892. Au sud, l'imposante fontaine sert de scène aux artistes de rue. Côté sud, des échiquiers rassemblent un cercle de passionnés qui jouent en plein air.

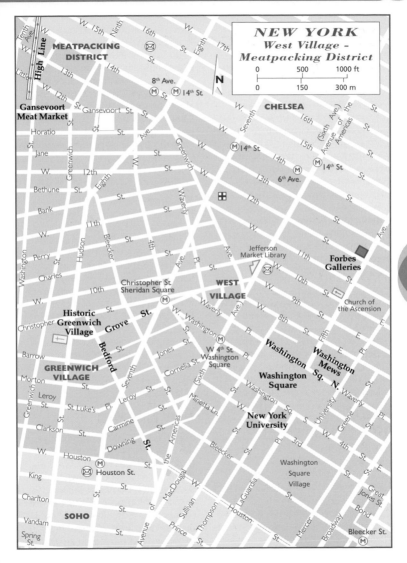

NEW YORK
*West Village –
Meatpacking District*

MEATPACKING
DISTRICT

High Line

Gansevoort
Meat Market

CHELSEA

Jefferson
Market Library

Forbes
Galleries

Church of
the Ascension

WEST
VILLAGE

Historic
Greenwich
Village

Christopher St.
Sheridan Square

Grove St.

GREENWICH
VILLAGE

W 4th St
Washington
Square

Washington
Square

Washington
Mews

Washington Sq. N.

New York
University

Houston St.

Washington
Square
Village

SOHO

Bleecker St.

Un financement ambitieux prévoit la rénovation complète du parc, mais les controverses ne cessent d'en retarder l'exécution. Au fil du temps, Washington Square est devenu un espace de loisirs, un lieu de pique-nique, une scène improvisée pour artistes et le site idéal pour exprimer toute contestation. Les abords du parc ont toujours été fréquentés par les élites intellectuelles. **Washington Square North**, avec ses élégantes demeures néogrecques, fut habité par de grands écrivains (H. James, E. Wharton, J. Dos Passos). Dans **Washington Mews**, secteur des domestiques, vécurent les peintres E. Hopper, J. Pollock, le poète E. A. Robinson, la sculptrice Gertrude Vanderbilt Whitney.

Forbes Galleries★

Plan p. 69 – 62, 5ᵗʰ Ave - ℘ 212 206 5548 - www.forbesgalleries.com - 10h-16h - fermé dim., lun., jeu. et j. fériés - gratuit. Ce petit musée expose les collections d'un magnat de la finance : plus de 10 000 soldats miniatures, 500 modèles réduits de bateaux et des Monopoly.

Historic Greenwich Village★★

Plan p. 69 – À l'ouest de la 6th Avenue s'étend la partie la plus ancienne de Greenwich Village, avec ses rues plantées d'arbres et ses jolies maisons en brique rouge ou en grès brun (brownstones), évocatrices de la vie du Village au début du 20ᵉ s. **Grove Street** aligne des rangées de maisons de style fédéral. La plus ancienne (1799, au n° 77) se dresse dans **Bedford Street**. Le quartier regorge de lieux historiques liés à la création littéraire et théâtrale. Le **Chumley's** (n° 86) est un ancien bar hanté par tous les écrivains du Village. Le **Cherry Lane Theater** (Commerce St., n° 38), fondé dans les années 1920, est l'une des scènes les plus innovantes de New York.

Meatpacking District★

Plan p. 69 – Au nord du Village se trouve l'ancien quartier des abattoirs, centre de production de viande de bœuf le plus important du pays au milieu du 19ᵉ s. Avec l'amélioration des transports, les abattoirs se sont déplacés à proximité des zones d'élevage, ne laissant à **Gansevoort Meat Market** que le marché de gros. Dans les années 1990, le quartier avait sinistre réputation. Pourtant, son caractère un peu rude, ses rues pavées et ses vastes entrepôts en font désormais le dernier endroit à la mode, investi par les boîtes de nuit branchées et les créateurs de mode.

High Line★

La portion aérienne de cette ligne de chemin de fer désaffectée reliant Gansevoort Meat Market à la 34ᵗʰ St., doit être reconvertie en coulée verte suspendue. Ce long parc arboré et fleuri reliera le Meatpacking District à Chelsea. La première section (14ᵗʰ à 20ᵗʰ St.) a été inaugurée en 2009.

70

East Village★

Avec ses devantures peinturlurées, ses restaurants aux tables dépareillées, ses friperies psychédéliques et ses salons de massage oriental, c'est le quartier baba de la ville. Et pourtant, l'East Village change ! Les jeunes yuppies en tee-shirts à message remplacent progressivement les hippies vieillissants en tunique marocaine et « dreads » grisonnants…

➔**Accès :** Station de métro ou arrêt de bus **Astor Place**. Voir plan détachable C6-7.
➔**Conseil :** Comme il y a peu à visiter, couplez avec le West Village.

Peuplé d'immigrés au début du 20e s., ce quartier gangrené par la drogue et les trafics en tout genre attira une population d'artistes, d'activistes politiques et de marginaux pour devenir finalement le centre du **mouvement hippie** new-yorkais. La vague punk lui succéda, suivie de la new wave et du gothique. Aujourd'hui, la remontée des prix de l'immobilier amène une nouvelle génération de jeunes branchés.

Cooper Union Foundation Building★

C6 – Créé en 1859 par un industriel pour former les jeunes aux métiers des sciences et de l'art, c'est le plus ancien bâtiment à structure en acier de New York.

Merchant's House Museum

B-C7 – *29 East 4th St. - ✆ 212 777 1089 - www.merchantshouse.org - tlj sf mar. et merc. 12h-17h - 8 $.*
Pourvue de son mobilier, cette jolie maison de brique, de style fédéral, témoigne de la façon de vivre d'un riche commerçant et de sa famille au 19e s.

St Mark's Place★

C6-7 – Entre les boutiques hippies, les échoppes de tatoueurs et les cafés à la mode, on devine tout juste le passé anarchiste de cette rue animée.

Tompkins Square Park★

C7 – Planté d'ormes centenaires, ce parc servit de point de ralliement aux protestataires en tout genre, depuis les socialistes du début du 20e s. jusqu'aux opposants à la guerre du Vietnam.

St Mark's-in-the-Bowery

C6 – De style néogrec (1799), cette église remplaça la chapelle des Stuyvesant *(voir p. 126)*, enterrés dans le cimetière adjacent.

Renwick Triangle★

C6 – À l'angle de la 10th St. et de Stuyvesant St. se dresse un ensemble de 16 demeures italianisantes, en brique et grès brun, réalisé par **James Renwick**.

Chelsea★★

À l'écart des artères encombrées, derrière des rangées d'arbres, s'alignent les façades de brique du quartier historique de Chelsea, presque inchangé depuis le 19e s. Plus à l'est, les entrepôts se sont reconvertis en d'innombrables galeries d'art, offrant au visiteur un immense musée gratuit.

➜**Accès :** En métro, stations **14th**, **23rd** et **28th Streets**. Voir plan détachable B5-6.
➜**Conseil :** Commencez le matin par Chelsea Market, puis remontez vers le nord, pour arriver dans le Gallery District vers 11h à l'ouverture des galeries (fermées dimanche et lundi). Les grandes enseignes et les magasins de discount se trouvent sur la 6th Avenue (Avenue of the Americas).

Chelsea Market★

B6 – *9th et 10th Aves - 7h-21h, dim. 10h-20h.*
L'ancienne usine de biscuits Nabisco (1898), dont on distingue toute la structure, a été astucieusement reconvertie en marché gourmand.

Chelsea Historic District★

B5 – Du Chelsea anglais, il ne reste que des rues calmes, bordées de hautes maisons aux façades mangées par la glycine ou la vigne vierge. L'essentiel se concentre entre les 9th et 10th Avenues, le long des 20th, 21th et 22th Streets. Les mieux conservées se trouvent sur le **Cushman Row★** *(406-418 West 20th St.)*. Leurs façades néogrecques de brique rouge sont précédées de hauts perrons et de grilles en fer forgé encadrant de petits jardins identiques et la rue est plantée de verdure.

Gallery District★★

B5 – La plus grosse concentration de galeries s'étend à l'ouest de la 10th Avenue. Les œuvres, de styles très variés, offrent un panorama assez exhaustif de l'art contemporain.

Chelsea Art Museum★

B5 – *556 West 22nd St. - ☏ 212 255 0719 - www.chelseaartmuseum.org - mar.-sam. 11h-18h (jeu. 20h) - 8 $.*
Il rassemble des œuvres abstraites d'artistes américains, européens et asiatiques des 20e et 21e s.

Rubin Museum of Art★★

B6 – *150 West 17th St. - ☏ 212 620 5000 - tlj sf mar. 11h-17h (merc. 19h, vend. 22h, w.-end 18h) - 10 $, gratuit vend. 19h-22h.*
Consacré à l'art du Tibet, du Népal et du Bhoutan (Himalaya), ce musée réunit peintures, sculptures, textiles, objets profanes et sacrés reflétant plus de deux millénaires de culture.

72

Union Square et Madison Square★

Avec Chelsea, cet ensemble de quartiers est un trait d'union entre Downtown et Midtown. La partie ouest concentre les enseignes des grandes chaînes, les squares et les beaux immeubles en fonte, dont le mythique Flatiron Building. Vers l'est s'étendent les zones plus résidentielles.

➔**Accès :** Stations de métro et arrêts de bus **Union Square** ou **Madison Square**. Voir plan détachable C5-6.
➔**Conseil :** Un sympathique marché aux puces se tient le week end le long de 25th St.

Union Square Park

C6 – Créé en 1831, ce parc, théâtre de diverses manifestations, est désormais un lieu de détente apprécié. Les abords de la place comptent quelques-uns des premiers gratte-ciel de New York.

Gramercy Park★

C6 – Entouré de belles maisons mais réservé aux riverains, c'est l'un des plus beaux parcs de New York.

Flatiron Building★★

C6 – Il fut à la fois le premier gratte-ciel de New York (1902) et, à l'époque, le plus élevé du monde (87 m) : autant dire mythique ! Ses 21 étages supportés par une structure en fonte, son style Beaux-Arts italianisant et sa forme inhabituelle sont dus à **Daniel Burnham**. Étonnamment étroit, il occupe un triangle entre Broadway, la 5th Avenue et la 22nd Street : sa forme en « fer à repasser » lui a valu son surnom.

Theodore Roosevelt Birthplace

C6 – *28 East 20th St. - ☎ 212 260 1616 - tlj sf dim. et lun. 9h-17h - visite guidée ttes les heures, 10h-16h - gratuit.*
La maison natale du 26e président des États-Unis (1901-1909) fut construite en 1848 et détruite en 1916. Celle-ci, édifiée en 1920 pour la remplacer, présente une collection d'objets lui ayant appartenu, ou à sa famille.

Madison Square★

C6 – Halte agréable, il fut jadis au cœur d'un quartier élégant et servit de terrain au premier club de base-ball de la ville. S'y dresse aujourd'hui l'immense salle **Madison Square Garden**, qui accueille des concerts, des matchs de basket…

Museum of Sex★

C5 – *233, 5th Ave. - ☎ 212 689 6337 - 11h-18h30 (sam. 20h) - 16,25 $ + taxes.*
Il retrace l'histoire de l'industrie pornographique à New York.

73

West Midtown★★★ *et Theater District*

Midtown, et vous entrez dans la démesure. Ce sont désormais les gratte-ciel de verre et d'acier, les néons gigantesques de Times Square, le collier de théâtres de Broadway, les boutiques prestigieuses de la 5th Avenue, les panoramas fantastiques depuis l'Empire State Building et le Rockefeller Center et, bien sûr, la fabuleuse collection d'art moderne et contemporain du MoMA, entièrement reconstruit et repensé. De quoi donner le tournis !

➜**Accès :** Pour tout voir, il faut beaucoup marcher. Vous pouvez longer les avenues en bus (5th Ave : **lignes 1 à 4** ; 6th Ave. : **lignes 5 à 7** ; 7th Ave. et Broadway : **lignes 6 et 7**) ou utiliser le métro : stations **Herald Sq.**, **Times Sq.** et **5th Avenue**. Voir plan détachable B-C4-5.

➜**Conseil :** Planifiez la visite du MoMA un vendredi après 16h, c'est gratuit. Si vous souhaitez atteindre le sommet de l'Empire State Building, prévoyez 1h de queue.

Broadway★/ Theater District

Quand New York fut créée, ce qui est aujourd'hui Midtown n'était qu'une campagne aux terres ondoyantes. Mais tandis qu'au sud l'immigration amenait ses vagues de populations pauvres, ceux qui avaient fait fortune s'installaient plus au nord, le long de la 5th Avenue ; suivis par les grands magasins et les hôtels chic. Comme il fallait naturellement distraire ce beau monde, le **Theater District** (Quartier des Théâtres) prit naissance, avec l'ouverture en 1895 de l'Olympia. Rapidement, près de 80 théâtres essaimèrent de part et d'autre de Broadway, autour de ce qui est devenu **Times Square**★★, dans un périmètre allant de la 6th à la 8th Avenue, entre les 40th et 57th Streets.

Destinés aux comédies légères et aux revues, ils virent ensuite se produire les grands dramaturges américains puis des comédies musicales et finalement des shows érotiques. Rénovés dans les années 1990, les anciens théâtres (une quarantaine) ont, depuis, renoué avec le succès populaire des comédies musicales.

Historic Theaters

Commencez par la **42nd Street** où se situent les plus anciennes et les plus prestigieuses salles du Theater District, puis remontez vers le nord. Le **New Amsterdam Theater** (1903) accueillit les spectacles new-yorkais de Maurice Chevalier. La 44th Street multiplie elle aussi les salles riches d'histoire : voyez le **Majestic** (1927), le **Shubert Theater** (1913) qui vit les débuts de

Quartier de Times Square, 8th Avenue.

Barbra Streisand ou encore le **Lambs Theater** (1904). Au n° 432, dans une ancienne église, se tient l'**Actors Studio** où étudièrent Marlon Brando, Dustin Hoffman et Al Pacino, parmi d'autres. Sur la 45th Street, le **Lyceum Theater** conserve sa façade Beaux-Arts (1903). L'**Imperial Theater** joue des comédies musicales célèbres. Sur la 46th Street, le **Lunt Fontanne Theater** a accueilli Marlene Dietrich. Une rue plus haut, le **Barrymore Theater** produisit *Un tramway nommé Désir* avec Marlon Brando. À l'angle de Broadway et de la 50th Street, le **Cadillac Winter Garden** résonne encore des Ziegfeld Follies, qui s'y donnèrent en spectacle avec Josephine Baker.

Carnegie Hall

C4 – *156 West 57th St., angle 7th Ave.* La plus célèbre salle de concerts de New York est l'œuvre d'**Andrew Carnegie**, magnat de l'acier fils d'immigrants écossais, très tôt engagé dans les œuvres caritatives. À la fin du 19e s., il décida de financer la construction d'une salle de renommée internationale. Érigée dans un style évoquant la Renaissance italienne, elle fut inaugurée le 9 mai 1891 sous la baguette de Tchaïkovsky. De 1892 à 1962, ce fut la scène du **New York Philarmonic Orchestra**. L'intérieur comporte trois salles où alternent concerts classiques, jazz, world et variétés. Le **Rose Museum** *(2e étage - sept.-juin 11h-16h30 - gratuit)* rassemble des documents retraçant plus d'un siècle d'histoire du Carnegie Hall.

Times Square★★

C5 – *Carrefour Broadway et 7th Ave.* Trottoirs bondés à toute heure, déluge de lumières, concert de klaxons… Au cœur du Theater District, Times Square demeure le **symbole** absolu de la frénésie new-yorkaise !
Au 19e s., **Longacre Square** servait de marché aux chevaux. Son nom changea en 1904 lorsque le quotidien *The New York Times* décida d'y construire ses bureaux. En 1916, on autorisa l'installation des premières **enseignes électriques** qui allaient donner son caractère au célèbre carrefour. À la grande époque du cinéma new-yorkais, le quartier accueillit de célèbres studios, dont la Paramount et la Twentieth Century Fox, puis, à partir des années 1970, il vit chuter sa réputation en raison du trafic de drogue et de l'ouverture de sex-shops dans les rues avoisinantes. Avec les années 1990 revint le calme. Aujourd'hui, Times Square compte encore plusieurs immeubles dignes d'intérêt : au n° 1 l'ancien siège (jusqu'en 2007) du *New York Times*, au n° 3 l'agence de presse **Reuters** et au n° 4 le gratte-ciel très high-tech de la **Condé Nast** (1999), reconnaissable à sa tour ronde entièrement drapée d'écrans.

Madame Tussaud's Wax Museum

C5 – *234, 42nd St. - ℘ 800 246 8872 - www.nycwax.com - 10h-20h - 35,50 $.* Ce musée met en scène plus de 200 célébrités américaines, moulées dans la cire, d'un réalisme étonnant !

Garment District

Étendu de la 30th à la 40th St., ce quartier fut longtemps le fief de la **confection**, l'une des principales industries de New York. Aujourd'hui, la plupart des ateliers sont partis vers le Lower East Side, Chinatown et Brooklyn, en raison des loyers prohibitifs.

Macy's★

C5 – 151 West 34th St. - ℘ 212 695 4400 - www.macys.com - 10h-21h, dim. 11h-20h. Construit en 1901, Macy's s'enorgueillit d'être le plus grand magasin du monde, avec dix étages de rayons ! Chaque année y est organisée la **Thanksgiving Day Parade**, un défilé haut en couleur. ℘ Voir aussi p. 17 et p. 39.

5th Avenue★★★

C5-D4 – Comme Broadway et ses théâtres, la 5th Avenue, égrenant les enseignes chic, est un **emblème** de New York. Cet impressionnant canyon urbain rectiligne divise la ville en deux : de Washington Square à Harlem, toutes les rues de Manhattan portent, devant leur numéro, le nom de la position qu'elles occupent par rapport à l'avenue mythique : **East** ou **West**. Jadis cadre des plus imposants manoirs, elle est devenue, au début du 20e s., celui des grands magasins et des boutiques de luxe. Ses abords comptent quelques-uns des joyaux architecturaux de la ville et, à l'ouest jusqu'à la 6th Avenue, de passionnants musées, dont l'incontournable MoMA.

Empire State Building★★★

C5 – 350, 5th Ave. - ℘ 212 736 3100 - www.esbnyc.com - 8h-2h (dernier ascenseur 1h15) - observatoire du 86e étage : 20 \$ - montée au 102e étage : 15 \$ en plus du ticket normal - audiotour en français : 8 \$. Depuis l'effondrement des tours jumelles du World Trade Center, ce **gratte-ciel légendaire** est redevenu **le plus haut de la ville** (443 m avec l'antenne). L'Empire State Building, construit à l'emplacement du premier hôtel Waldorf-Astoria, fut inauguré le 1er mai 1931. L'affaire aurait pu être un terrible fiasco puisque, les contrats à peine signés, les États-Unis s'enfonçaient dans la Grande Dépression de 1929. Au contraire, cela sembla galvaniser tout le monde. Dès le début, le gratte-ciel éveilla tous les fantasmes. En 1933, le cinéma s'en empare avec le mythique gorille géant, King Kong, qui escalade ses parois jusqu'au sommet. Plus tragique encore, en 1945, par temps de brouillard, un avion vient s'encastrer dans le 79e étage, faisant 14 victimes. Installée en 1953, l'antenne de télévision surmontant le mât d'origine fut, de fait, équipée d'une lanterne pour avertir les pilotes « égarés ».

Chaque soir, désormais, le sommet de l'édifice s'illumine, les couleurs changeant en fonction des jours et des saisons.

Observatoire – Situé au 86e étage (320 m d'altitude), il permet de profiter d'un des plus beaux **panoramas★★★** de la ville : la forêt de béton de Midtown, au nord et, au-delà des immeubles moins

77

Une œuvre colossale

Il ne fallut qu'un an et 45 jours pour achever l'Empire State Building : jusqu'à 4 000 ouvriers par jour, 60 000 tonnes d'acier, 10 millions de briques. L'immeuble compte 6 500 fenêtres, 73 ascenseurs ultrarapides, 1 860 marches. Il devait coûter 50 millions de dollars, mais la facture fut réduite à 41 millions. Sa rénovation, au contraire, coûta près de 100 millions de dollars !

élevés du West Village et de Soho, les gratte-ciel du sud de Manhattan, d'où jaillira, bientôt, la Freedom Tower.

New York Public Library★

C5 – *5ᵗʰ Ave., entre West 40ᵗʰ et 42ⁿᵈ Sts -
℘ 212 340 0830 - www.nypl.org - lun. 11h-18h, mar.-merc. 11h-19h30, jeu.-sam. 11h-18h, dim. 13h-17h - fermé j. fériés - entrée, cartes pour la consultation d'ouvrages et utilisation d'Internet gratuites.*
La bibliothèque de New York – l'une des plus importantes au monde – est l'œuvre de quatre hommes : deux mécènes bibliophiles, John Jacob Astor et James Lennox, un généreux donateur, Samuel Tilden, et son exécuteur testamentaire, John Bigelow. Le mérite de ce dernier est d'avoir réussi à fusionner les bibliothèques des deux premiers en utilisant l'argent du troisième pour leur construire un édifice unique. La conception fut confiée aux architectes Carrère & Hastings, qui signèrent une de leurs premières œuvres dans le style Beaux-Arts. Andrew Carnegie, également, contribua au projet. Outre la belle envolée des marches, vous pourrez admirer la **colonnade** et la **paire de lions** en pierre qui gardent l'entrée. Si l'extérieur est un peu massif, l'intérieur, tout en marbre avec une **spectaculaire verrière** de six étages, apparaît plus aéré, convivial. Les **collections** de livres sont les deuxièmes du pays après celles de la bibliothèque du Congrès, à Washington. Y sont conservés des dizaines de millions d'ouvrages, cartes et photographies, ainsi que de nombreux manuscrits, notes et lettres autographes.

Bryant Park★

C5 – *Entre 42ⁿᵈ et 40ᵗʰ Sts.*
Adossé à la Public Library, il est idéal pour un pique-nique ; on y organise, l'été, concerts et défilés de mode. Remarquez les édifices qui le bordent : l'**American Standard Building** (1924), en brique noire et terre cuite dorée, et le **HBO Building** qui abrite la chaîne de télévision produisant les séries cultes.

Diamond & Jewelry Way

C5 – *47ᵗʰ St., entre 6ᵗʰ et 5ᵗʰ Aves.*
90 % des diamants qui entrent aux États-Unis passent par cette rue où se vend, chaque année, la plus grande quantité de **pierres précieuses** au monde ! Démarré dans le sud de Manhattan au 19ᵉ s., ce négoce a suivi

Empire State Building.

la lente remontée vers le nord des riches clients de la 5th Avenue. Environ 2 600 entreprises se sont installées ici !

Rockefeller Center★★★

C4 – *5th Ave., entre 48th et 51st Sts - www. rockefellercenter.com.*
Le Rockefeller Center est le premier exemple de grand concept architectural et urbain à New York. Pour la première fois, on projetait un vaste ensemble, unifié autour d'une idée et d'un style.
John D. Rockefeller Jr., magnat du pétrole, homme le plus riche du monde à l'époque, vit dans cette réalisation l'occasion de développer son quartier. Il centra le projet sur les industries naissantes de la radio et du cinéma. Les architectes conçurent un ensemble de 13 immeubles agencés autour d'une place centrale et d'un gratte-ciel symbole, plus élevé que les autres. Des œuvres d'art, un jardin et des espaces ouverts devaient permettre au public de s'approprier l'endroit et de faire passer le message d'une Amérique idéale. Commencé en 1931, achevé en 1939, le complexe initial fut, à l'exception du World Trade Center, le seul projet d'une telle ambition. En 1947 et 1973, on bâtit sept nouveaux immeubles. Le nombre de personnes qui y travaillent est évalué à 65 000.
Rockfeller Plaza★★ – Vous y accédez depuis la 5th Avenue en longeant les **Channel Gardens** *(jardins de la Manche)*, entre la **Maison française** et le **British Empire Building**. Cette étroite coulée fleurie descend en pente douce vers Lower Plaza, un café semi-enterré encadrant une large terrasse,

cernée de drapeaux de tous les pays. C'est là que se trouvent la célèbre patinoire, réaménagée chaque hiver depuis 1936, et la statue rutilante de **Prométhée** (Paul Manship, 1934).
General Electric Building★★ – Le plus haut des gratte-ciel du complexe, achevé en 1933 (70 étages construits en moins de seize mois), est considéré comme un parfait exemple d'Art déco, tant à l'extérieur, avec ses lignes droites et le décrochement progressif des étages, qu'à l'intérieur. L'entrée sur la plaza est décorée de bas-reliefs colorés (Lee Lawrie, 1933), centrés sur le thème de la sagesse. Le hall est encore plus impressionnant, avec son immense fresque de l'Espagnol José Maria Sert, intitulée *American Progress* (l'œuvre a remplacé l'« offensante » réalisation de Diego Rivera qui montrait le défilé du 1er Mai conduit par Lénine). Au 65e étage, le superbe restaurant Art déco The Rainbow Room.
Top of the Rock★★★ – **C4** - *entrée par 50th St. entre 5th et 6th Aves - 67e-70e étage - ✆ 212 698 2000 - www.topoftherocknyc. com - 8h-0h, ascenseur 8h30-23h - 21 $ - réservez la veille par téléphone ou Internet pour choisir votre horaire de visite.*
Avec l'Empire State Building, voici l'autre moyen de voir Manhattan de haut. Plus basse, la terrasse (259 m) permet d'admirer l'Empire State et Central Park. Le splendide **atrium★★★**, qui s'élève sur trois étages vitrés, présente l'histoire du Rockefeller Center. L'observatoire, étroit et allongé comme le pont d'un navire, offre un merveilleux **panorama★★★** sur Midtown : préférez le soir, pour profiter des lumières de la ville !

NBC Studio Tour★

C4 *(voir plan détachable : Rockefeller Center) – 30 Rockefeller Plaza - ℘ 212 664 7174 - www.nbcuniversalstore. com - lun.-mar. 8h30-16h30 (dép. ttes les 30mn), vend.-sam. 9h30-17h30 (dép. ttes les 15mn), dim. 9h30-16h30 (dép. ttes les 15mn).*
En visitant les studios, vous découvrirez l'histoire de la chaîne NBC, les débuts de la radio et le passage à la télévision. Si vous réservez votre billet, vous pourrez assister à l'enregistrement de certaines émissions.

Radio City Music Hall★

C4 – *1260, 6ᵗʰ Ave., angle 50ᵗʰ St.*
Typiquement Art déco, cette salle de music-hall (1932), le plus grand théâtre couvert au monde, faisait partie du grand complexe du Rockefeller Center. On y jouait traditionnellement les premières des films. Elle accueille désormais des spectacles musicaux, dont le plus populaire est le *Radio City Christmas Show*.

Museum of Modern Art (MoMA)★★★

C4 – *11 West 53ʳᵈ St. - ℘ 212 708 9400 - www.moma.org - tlj sf mar. 10h30-17h30, vend. 10h30-20h - fermé 25 déc. et Thanksgiving - 20 $, le billet comprend l'entrée au P.S.1, valable 30 j., le plan et l'audio tour en français ainsi que les expositions temporaires ; gratuit vend. à partir de 16h (venez en avance, la queue peut être longue).*

Son architecture intérieure légère, son petit jardin de sculptures et son incroyable concentration de chefs-d'œuvre font du **MoMA** une promenade fascinante dans l'art du milieu du 19ᵉ s. à nos jours. Fondé en 1929 par trois femmes, **Abby Rockefeller** (dont le mari créa le Rockefeller Center), **Lillie Bliss** et **Mary Sullivan**, qui désiraient mettre l'art moderne à la mode, le musée a fait l'objet en 2002-2004 d'une importante rénovation. Agrandi, aéré, il a conservé sa politique d'acquisition, mélangeant peinture, sculpture, photographie et design.
Le MoMA s'organise autour d'un hall spectaculaire. Une paroi vitrée donne sur le **jardin des Sculptures★★**, ponctué de bancs.

81

Les **peintures et sculptures★★★** occupent les 4ᵉ et 5ᵉ niveaux *(comptez 1h30 à 2h)*. Les œuvres ne suivent pas un ordre strictement chronologique et ne sont pas rassemblées par auteurs. Leur présentation vise à souligner les liens qui peuvent unir deux artistes ou deux courants artistiques, même à des époques différentes.
Les **impressionnistes** sont représentés par Pierre Bonnard, Édouard Vuillard ou Claude Monet dont le triptyque *Reflections of the Clouds on the Waterlily Pond* (1920) occupe une salle entière.
Les **postimpressionnistes** étaient attirés par des lignes simplifiées et des couleurs plus franches. Parmi eux, Georges Seurat (*Evening, Honfleur*, 1886), Paul Cézanne (*The Bather,* 1885), Paul Gauguin ou Henri Rousseau. Vincent Van Gogh est mis à l'honneur avec *The*

Olive Trees (1889) et la célèbre *Stary Night* (1889).

Les **fauves**, André Derain et les premiers Matisse s'identifient à leurs coups de pinceau hardis et à leurs aplats colorés. Dans la succession de ce mouvement, Picasso amorce une nouvelle étape dans la peinture. Ses toiles de jeunesse permettent de mesurer sa longue évolution, depuis les couleurs douces et les modèles figuratifs de ses nus de la période rose jusqu'aux *Demoiselles d'Avignon* (1907), où l'on devine à la fois l'influence de l'art océanique et la dérive progressive vers le **cubisme**, soulignée dans des toiles telles que *Boy leading a Horse* (1905-1906), *Woman with Pears* (1909) ou *Ma jolie* (1911-1912). C'est d'ailleurs en comparant Picasso et Georges Braque que l'on aborde réellement le cubisme. Le musée possède des tableaux de Juan Gris et de nombreuses toiles d'Henri Matisse dont sa célèbre *Dance,* accrochée dans l'escalier. Suivent d'autres Picasso, plusieurs œuvres de l'Espagnol De Chirico, des Fernand Léger et des sculptures de Brancusi.

L'**expressionnisme** se traduit par une vision des choses déformée par les émotions de l'artiste. Les formes se stylisent et les couleurs sont souvent violentes. Les Allemands sont les tenants de ce courant, représenté par des peintres comme Ernst L. Kirchner, Oskar Kokoschka, Paul Klee ou Vassily Kandinsky (*Picture with an Archer,* 1909). Le premier **art abstrait** prend naturellement la suite du cubisme. Mais les formes géométriques et les larges surfaces colorées ne prétendent plus se rattacher au réel. Parmi les pionniers, on trouve Marc Chagall, Robert Delaunay, Kazimir Malevich ou Fernand Léger. Dans un autre style, la salle Mondrian introduit une forme purement plastique de cet art.

Le **mouvement Dada** et le **surréalisme** occupent aussi une vaste salle, qui inclut les collages initiés par Picasso et Braque. Dans cette lignée, on découvre les montages de Francis Picabia, Marcel Duchamp ou Kurt Schwitters. Parmi les grands surréalistes, vous admirerez André Breton, Joan Miró avec *Hirondelle Amour* (1933), Max Ernst, René Magritte et Salvador Dalí (*The Persistence of Memory,* 1931). Pour les sculpteurs, on note de remarquables statues aux allures de divinités primitives de Giacometti.

Les **peintres américains** ne sont pas en reste, avec Edward Hopper ou Charles Sheeler.

Au 4e niveau sont réunis d'autres grands noms de la peinture américaine et de l'**expressionnisme abstrait** du milieu du 20e s. à nos jours : Jackson Pollock, Willem De Kooning avec *Woman I* (1950), Mark Rothko, Clyfford Still, Robert Motherwell, Robert Rauschenberg, Jasper Johns, mais aussi l'Anglais Francis Bacon. Aux côtés d'Andy Warhol et *Gold Marilyn Monroe* (1962), le **pop art** recense James Rosenquist, Claes Oldenburg et Roy Lichtenstein. Une aile consacrée au **design**★★ couvre à la fois les progrès de la technologie dans les objets usuels et l'évolution de l'esthétique au cours du 20e s., depuis

Le MoMA, dessiné par Yoshio Taniguchi. Entrée sur la 53th Street.

82

les ustensiles de cuisine des années 1930-1940 jusqu'aux tout premiers ordinateurs, en passant par du mobilier plus ou moins extravagant.

Le département des **photographies** retrace l'histoire de ce média depuis le milieu du 19e s. et ses différentes applications journalistiques, artistiques ou commerciales.

La collection de **dessins**★ présente des œuvres au crayon, à l'encre ou au fusain, des collages et des aquarelles.

American Folk Art Museum★★

C4 – 45 West 53rd St. - ☎ 212 265 1040 - www.folkartmuseum.org - tlj sf lun. et j. fériés 10h30-17h30 (vend. 19h30) - 12 $, gratuit vend. 17h30-19h30.

Ce musée émouvant au design réussi séduira aussi bien l'amateur d'art naïf et populaire que celui d'art brut. Les collections sont si riches que les objets ne sont exposés que par roulement, sur sept niveaux. Aux objets utilitaires de l'époque coloniale ou des différentes vagues d'immigration s'ajoutent du mobilier, des tissus, de spectaculaires girouettes, des peintures naïves et des œuvres de l'Outsider Art, telles celles de son représentant Henry Darger (1892-1973).

D'autres peintres du même courant sont exposés par roulement ou lors de manifestations temporaires.

Museum of Arts and Design★

C4 – 2 Columbus Circle, face à Central Park - ☎ 212 956 3535 - www.madmuseum.org - tlj sf lun. 11h-18h - 15 $.

À mi-chemin entre l'art contemporain et l'artisanat, ce musée présente une foule d'objets superbes – verre, céramique, bijoux, peintures – d'une élégante sobriété ou, au contraire, enrichis de volutes complexes.

Intrepid Sea-Air-Space Museum★

B4 – Pier 86, face à 46th St. - ☎ 212 245 0072 - www.intrepidmuseum.org - tlj 10h-17h, fermé lun. d'oct. à mars - 22 $.

Ce musée en plein air rassemble des navires de la marine américaine, dont l'Intrepid – un porte-avions de la Seconde Guerre mondiale utilisé à la fois pendant la guerre du Vietnam et durant le blocus de Cuba –, et une collection d'avions, parmi lesquels le Concorde.

International Center of Photography

C5 – 1133, 6th Ave. - ☎ 212 857 0000 - www.icp.org - tlj sf lun. 10h-18h (vend. 20h) - 12 $, on paye ce que l'on veut le vend. 17h-20h.

Fondé par Robert Capa en 1974, ce centre est spécialisé dans le photojournalisme. Expositions temporaires.

East Midtown★

Favorisant les affaires des théâtres, la partie orientale de Midtown s'est développée à la même époque que sa voisine de l'ouest. La présence de la gare centrale en a fait une plate-forme d'échanges autour de laquelle sont naturellement venus se greffer des immeubles de bureaux. La proximité de la 5th Avenue a attiré hôtels de luxe et établissements prestigieux, comme la Morgan Library ou le siège des Nations-unies.

➜**Accès :** Pour le siège de l'ONU et Grand Central, prenez la **ligne de bus 42**. En métro : **Grand Central Terminal**. Voir plan détachable C-D5.

➜**Conseil :** Pour prendre de belles photos du Chrysler Building, utilisez un téléobjectif et allez sur la 3rd Avenue, entre les 42nd et 44th Streets. Pour admirer les détails de son architecture, munissez-vous de jumelles.

Murray Hill★

C5 – Comprise entre la 30th et la 40th St., la partie sud d'East Midtown doit son nom à Robert Murray, un marchand d'origine anglaise qui y construisit sa « maison de campagne ». Le site demeura longtemps un quartier tranquille, occupé par des maisons bourgeoises et par les écuries des palaces de la 5th Avenue. Aujourd'hui, les manoirs ont laissé place aux grands magasins, et les écuries aux immeubles résidentiels.

Morgan Library★★

C5 – *225 Madison Ave. - ✆ 212 685 0008 - www.themorgan.org - mar.-vend. 10h30-17h (vend. 21h), sam. 10h-18h, dim. 11h-18h - fermé lun., 1er janv., Thanksgiving et 25 déc. - 12 $, gratuit vend. 19h-21h - des concerts sont régulièrement donnés à la bibliothèque, à réserver absolument.*
Au 19e s., l'un des hommes les plus riches de New York, **John Pierpont**

Morgan (1837-1913), érigea une luxueuse demeure de style néoclassique à Murray Hill. Son fils réalisa en 1924 le vœu de son père en transformant les formidables collections privées de la famille (incunables et manuscrits rares) en institution publique. Plusieurs donations et acquisitions sont, depuis, venues l'enrichir. Les locaux actuels, rénovés, regroupent les habitations du père et du fils. Les fonds de **manuscrits** de **musique** et de **littérature** sont d'une grande richesse : partitions de la main de Mozart, Beethoven, Brahms, Chopin, Verdi et d'autres, sans oublier les modernes, Schoenberg ou Cage ; manuscrits littéraires, lettres ou notes de Galilée, Milton, Edgar Poe, Byron, Charles Dickens, Mark Twain, Thoreau, Oscar Wilde, John Steinbeck, Ernest Hemingway, Jane Austen… L'un des trois exemplaires connus de la Bible de Gutenberg est précieusement conservé dans la majestueuse East Room. Sont également exposés des ouvrages à

85

la reliure constellée de pierreries, des manuscrits particulièrement rares, dont les plus anciens datent du 7e s. De nombreux objets sacrés et des peintures sont disposés dans le bureau de Morgan : *Madone* du Pérugin, *Portrait de Maure* du Tintoret, *Portraits de Martin Luther et de sa femme* par Lucas Cranach l'Ancien, nombreux dessins de Michel-Ange, Léonard de Vinci, Dürer, Rembrandt, Watteau, mais aussi de Goya, Ingres, Degas, Van Gogh, aquarelles de Turner.

Grand Central Terminal★★

C5 – 5h30-1h30 - dépliant disponible au kiosque central - visite guidée gratuite : merc. 12h, dép. au kiosque central ; vend. 12h30, dép. à l'angle de Park Ave. et 42nd St., devant l'Altria.

En 1871, **Cornelius Vanderbilt**, magnat des chemins de fer, construisit une première gare, qui fut remplacée par l'édifice actuel lorsqu'on décida d'enterrer les voies, en 1913. Sur les terrains en surface, vendus à des promoteurs, furent aménagées Park et Madison Avenues. À la place des immeubles noirs de suie, on éleva des résidences, des hôtels chic et, plus tard, des gratte-ciel, donnant au quartier une belle variété d'architecture du 20e s. Avec ses accès transversaux aux voies que l'on pouvait aussi rejoindre depuis le métro, l'organisation de la **gare** était, à l'époque, révolutionnaire. Au plus haut de sa fréquentation, en 1947, on évalue à 65 millions le nombre de passagers qui foulent son sol chaque année. Classée en 1978, superbement rénovée en 1998,

elle assure désormais le trafic régional. Son imposante façade, de style Beaux-Arts, est ornée d'une horloge entourée de Mercure, Minerve et Hercule. La **salle des pas perdus**, haute de 12 étages, est coiffée d'une **voûte** peinte et électrifiée figurant les constellations célestes (représentées à l'envers ; l'ouest se retrouve à l'est !). D'imposants escaliers mènent aux balcons. Le rutilant petit kiosque central est l'un des points de rendez-vous mythiques de la ville.

Chrysler Building★★★

D5 – Angle 42nd St. et Lexington Ave.
Ce n'est ni le plus haut ni le mieux situé des gratte-ciel de New York, mais c'est sans conteste le plus beau. Sa finesse, son élégance racée et sa délicate spire sont incomparables. Érigé en 1930 à la demande de l'industriel de l'automobile **Walter Chrysler**, le Chrysler Building est né de l'imagination de l'architecte **William Van Alen** qui voulait construire l'immeuble le plus haut du monde (319 m, 77 étages). Il ne détint pas le record longtemps, dépassé l'année suivante par l'Empire State Building. Son originalité réside dans l'utilisation de l'acier comme garniture extérieure, soulignant les jeux de lumière sur sa structure et accentuant sa silhouette élancée. Avec ses décrochements successifs, l'utilisation de gargouilles en forme de tête d'aigle (évoquant les ornements des capots Chrysler), l'alternance des lignes arrondies et des triangles aigus, et le sommet rappelant les chromes des voitures, c'est l'un des plus spectaculaires exemples

Chrysler Building.

d'architecture Art déco. À l'intérieur, le hall est tout aussi impressionnant : marbre rouge, profusion des frises géométriques, motif de l'aigle repris jusque sur les boîtes aux lettres, fresque du plafond sur le thème du transport et de l'industrie.

United Nations Headquarters (ONU)★★

D5 – Au bord de l'East River, entre 42nd et 48th Sts - ✆ 212 963 4475/8687 - www. un.org - visites guidées (1h) uniquement, ttes les 30mn, lun.-vend. 9h30-16h45, w.-end 10h-16h30 (sf janv.-fév.) - fermé 1er janv., Thanksgiving et 25 déc. - pour les visites en français, appelez le matin au ✆ 212 963 7539 et demandez le programme du jour - interdit aux enfants de moins de 5 ans - 12 $.

L'ONU, créée le 24 octobre 1945 – après la Seconde Guerre mondiale – pour remplacer la défunte Société des Nations, est une communauté internationale d'États membres dont le but est de maintenir la paix dans le monde. La décision d'en construire le siège à New York a été prise lors de la première Assemblée générale, en 1946. Le territoire affecté au projet, acheté grâce à un don de John D. Rockefeller Jr., bénéficie encore d'un statut à part, hors de la juridiction américaine.

On pénètre dans l'enceinte par une esplanade ornée de deux sculptures symboliques : **Non-Violence**, le revolver au canon noué (Carl Fredrik Reuterswärd, 1988), et **Sphere within a Sphere** (Arnaldo Pomodoro, 1996). Sur la droite, le **General Assembly Building** (1952), à la façade incurvée, abrite la salle de l'Assemblée générale, où se réunissent en session les délégués des pays membres. La session régulière se tient à partir de septembre, mais peut être convoquée à tout moment en cas d'urgence. En retrait, sur le front de rivière, se trouve le **Conference Building** (1952), abritant les salles de réunion. C'est là que se retrouve, entre autres, le Conseil de sécurité, composé de quinze États membres dont cinq seulement sont permanents (États-Unis, Chine, Russie, France et Royaume-Uni). Sa principale tâche est le maintien de la paix. Le bâtiment le plus célèbre est le gratte-ciel de verre gris bleuté qui domine le complexe : le **Secretariat Building** (1950). Il accueille, comme son nom l'indique, les bureaux du secrétaire général et de tous ses services.

Saint Patrick's Cathedral★

D5 – 5th Ave., entre 50th et 51st Sts - 8h -18h. Coincée entre de hauts immeubles modernes, la cathédrale catholique la plus vaste des États-Unis paraît étrangement petite. Ses tours culminent pourtant à plus de 100 m. De style néogothique inspiré par la cathédrale de Cologne, elle fut conçue par l'architecte **Renwick** en 1879. Face à l'édifice se dresse la statue en bronze d'**Atlas** portant le monde sur ses épaules (Lee Lawrie, 1937).

Central Park★★

Où sont donc passés les flots de taxis hurlants, les tags, les escaliers de secours branlants ? Central Park ouvre son immense fenêtre verte, comme une vaste campagne plantée au cœur de la ville. Tout autour, les gratte-ciel semblent presque modestes malgré leurs silhouettes sophistiquées. Sous les grands arbres, la rumeur de la ville s'évanouit, et pourtant, New York est là.

➔**Accès :** Les lignes de bus **66**, **72**, **79**, **86**, **96** et **106** traversent Central Park. En métro, arrêtez-vous, sur les lignes **A**, **B**, **C** ou **D**, entre les stations **Columbus Circle** et **Cathedral Parkway**. Voir plan détachable D3, C-D4, E2. Ouv. tte l'année - www.centralparknyc.org - 93 km de chemins de promenade - plans, calendriers et horaires des manifestations disponibles dans les trois centres d'accueil du parc (The Dairy au centre du parc, Dana Discovery Center au nord et Belvedere Castle) - visites thématiques sur la flore, les oiseaux, les animaux crépusculaires.
➔**Conseil :** Vous pouvez arriver par le sud et repartir par le nord (ou inversement) en visitant au passage quelques musées du **Museum Mile** C4, D3-4, E2-3 *(voir p. 92)*. Profitez-en aussi pour organiser un pique-nique.

Au 18e s., le nord de Manhattan est occupé par des fermes et par les résidences d'été de quelques fortunés. Avec l'urbanisation, de riches bourgeois décident de vivre à l'année dans leurs manoirs. Or la partie centrale de cette zone n'est alors qu'une étendue de marais nauséabonds, constellés de roches géantes, squattée par les pauvres et les marginaux. C'est grâce à **William Cullen Bryant**, homme de lettres et éditeur du *New York Evening Post*, qu'une vigoureuse campagne de presse est lancée en 1850 en vue de créer un parc comparable aux grands espaces verts européens.
Seize ans après le premier coup de pioche, Central Park est achevé (1873). Œuvre des architectes paysagistes **Frederick Olmsted** et **Calvert Vaux** qui voulurent en faire une série de tableaux vivants dédiés à une

nature idéalisée, il aura nécessité 20 000 ouvriers, un demi-million d'arbres et 3 millions de mètres cubes de terre, importés par péniche et destinés à combler les marécages et l'espace laissé par la destruction de 300 000 tonnes de roches. Le parc, finalement, aura coûté aux États-Unis le double du prix de rachat de l'Alaska !
Avec ses 341 ha, Central Park est le **poumon vert de New York**. On y vient se reposer de la ville, mais sans vraiment la quitter tant la couronne de gratte-ciel est visible. Sur le plan culturel et festif, c'est un lieu majeur, au cœur de toutes les grandes manifestations. C'est là que les gens se retrouvent, spontanément, quand les choses vont mal, comme après le 11 Septembre, ou dès qu'il faut manifester, contre une guerre ou

89

en faveur d'une cause humanitaire. Après avoir été mal famé jusque dans les années 1980, le parc a retrouvé sa vocation récréative pour les familles, les amoureux de la nature, les sportifs et les touristes. Vingt millions de personnes le fréquentent chaque année.

Central Park Wildlife Center

D4 – En haut de l'arche d'entrée, la **Delacorte Clock** est une horloge qui rythme l'heure au moyen de figurines animales animées. Plus de 450 animaux sont répartis dans le zoo, en fonction de trois grands climats (tempéré, tropical et polaire).

Bethesda Fountain Terrace★

D3-4 – The Mall, majestueuse allée ombragée d'ormes gigantesques, est gardé au sud par la statue de Shakespeare. À sa gauche s'étend la prairie de **Sheep Meadow**, où pique-niqueurs et lanceurs de Frisbee ont remplacé les moutons (l'ancienne bergerie, à l'ouest, a été reconvertie en restaurant, la *Tavern on the Green*). Le Mall mène à la **Bethesda Fountain Terrace★**, élégante esplanade où se réunissaient les hippies à la grande époque de la contre-culture. Considérée comme la pièce maîtresse du parc, cette jolie terrasse en grès

ressemble à un patio espagnol avec ses escaliers et sa fontaine centrale ornée d'une statue.

The Lake★★

D3 – La Bethesda Fountain Terrace jouxte le lac de Central Park dont la forme irrégulière est dominée par la colline escarpée du **Ramble**, sillonnée de sentiers, plutôt fréquentés par les gays en quête de rencontres. À l'ouest, les **Strawberry Fields** doivent leur nom à la chanson de John Lennon, assassiné au pied du Dakota Building, qui jouxte le parc à cet endroit. En contournant le lac par la droite, on arrive à la **Loeb Boathouse**, où l'on peut louer des canots, manger ou boire un verre. Le gracieux pont en métal **Bow Bridge★★** permet de traverser le lac pour se rendre vers sa partie nord.

Jacqueline Kennedy Onassis Reservoir★

D-E3 – Plus au nord se trouve le Jacqueline Kennedy Onassis Reservoir, lieu mythique pour les joggers (Dustin Hoffman en fait le tour dans *Marathon Man*). En passant, remarquez derrière le Metropolitan Museum l'**aiguille de Cléopâtre**, obélisque dont les hiéroglyphes (traduits) racontent l'histoire de Thoutmosis III (15e s. av. J.-C.). Il fut offert à la ville de New York par le khédive Ismaïl Pacha (transporté aux États-Unis en 1880).

90

Patinoire dans Central Park.

Upper East Side★★★ et Museum Mile★★★

C'est le quartier le plus chic et le plus cher de Manhattan ! La 5th Avenue regorge d'appartements de standing et de commerces de luxe. Devant de magnifiques demeures, les portiers guindés accueillent les élégantes de retour de shopping. Partout, les musées installés dans d'imposants manoirs proclament la passion de la culture et la générosité des mécènes.

➜**Accès :** En métro, arrêtez-vous aux stations des lignes **4**, **5** et **6** situées entre les **63rd** et **110th Streets**. En bus, lignes **1** à **4**, **66**, **72**, **79**, **86**, **96**, **98**, **101** à **103**. Voir plan détachable D-E4, D-E-F3, E2.

➜**Conseil :** Pour bénéficier de la gratuité, visitez le Guggenheim ou le Whitney le vendredi soir, et la Frick Collection le dimanche midi. Après les musées, finissez par un peu de shopping sur Madison Avenue.

Museum Mile★★★

On désigne par ce nom la portion de la 5th Avenue qui s'étend le long de Central Park. Les milliardaires y construisirent les plus splendides manoirs de la ville, puis, au début du 20e s., en firent, pour beaucoup, donation à des fondations. C'est ainsi que, sur cette courte section d'avenue, on compte l'une des plus belles concentrations de musées au monde ainsi que les hôtels particuliers les plus huppés de New York – de style Beaux-Arts ou Queen Anne – et des immeubles de prestige précédés d'opulentes marquises. En partant de **Grand Army Plaza**, dominée par la **fontaine Pulitzer** (1915) et la statue équestre du général Sherman (1903), vous pourrez voir le **General Motors Building**, le **Plaza** (1907) et l'hôtel Pierre, qui accueille toujours le gratin international. Le prestigieux Knickerbocker Club (1870, n° 810) est réservé aux descendants des pionniers hollandais. Le **New India House** (1903, n° 3 de 64th St.), de style Beaux-Arts, héberge le consulat d'Inde. La **Harkness House** (1900, 75th St.), sorte de palais italien, est le siège du Commonwealth Fund, une association philanthropique. La James Duke House (78th St.), édifice néoclassique inspiré d'un château bordelais de style Louis XVI, abrite le **New York Institute of Fine Arts**. Les services culturels et de presse du consulat de France sont logés dans l'ancienne résidence Beaux-Arts (1906, n° 972 de la 5th Ave.) de Payne Whitney. L'**Ukrainian Institute of America**, un étonnant petit château de style Renaissance française (1897, 79th St.), s'est installé dans la demeure des Stuyvesant, descendants du premier gouverneur de New York. La **Goethe House** (1957, n° 1014 entre 82nd et

83rd Sts) est une demeure Beaux-Arts réservée à la culture allemande.

Temple Emanu-El★

D4 – ✆ 212 744 1400 - dim.-jeu. 10h-16h30, vend. 10h-15h.
Avec une capacité de 2 500 fidèles, cette synagogue (1929) de style romano-mauresco-byzantin est l'une des plus vastes au monde. Sa nef majestueuse est recouverte de mosaïques aux motifs orientaux. Une arche sacrée renferme les rouleaux de la Torah.

The Frick Collection★★★

D4 – 1 East 70th St. - ✆ 212 288 0700 - www.frick.org - mar.-sam. 10h-18h, dim. 11h-17h - fermé lun., 1er janv., 4 juil., 23 nov. et 25 déc. - 18 $, gratuit dim. 11h-13h - audio tour en français inclus dans le billet -12 ans non admis.
Élégant, raffiné et doté d'un délicat patio, ce délicieux petit musée est idéal pour s'initier à la peinture classique. Magnat de la sidérurgie, le millionnaire **Henry Frick** (1849-1919) demande au cabinet Carrere & Hastings de lui construire un manoir de prestige de style néoclassique à proximité de Central Park (1913). Passionné d'art, il y expose une partie de ses magnifiques collections acquises en Europe, et lègue à sa mort sa demeure et ses œuvres à un conseil d'administration, qui en fera un musée en 1935. La **Boucher Room** et l'**Anteroom** reconstituent un boudoir du 18e s. orné de tableaux de François Boucher (1752). Le mobilier comprend un bureau plat en acajou de Riesener (18e s.), des porcelaines

de Sèvres et un tapis indien (16e s.). Dans l'antichambre se trouve le plus ancien portrait de Hans Memling. La **Dining Room** est décorée de peintures anglaises : Hogarth, Romney, Reynolds Gainsborough, James Park. Le **West Vestibule** présente Les Quatre Saisons de Boucher (1775) ainsi qu'un bureau de Charles Boulle. Onze tableaux de Fragonard (Les Progrès de l'amour) sont conservés dans la **Fragonard Room**, accompagnés d'un magnifique mobilier de l'école de Paris, de porcelaines de Sèvres et d'un buste en marbre de la comtesse du Cayla, de Houdon. Le **South Hall** expose trois des trente-sept toiles connues de Vermeer : L'Officier et la jeune Fille riant (v. 1658), La Leçon de musique interrompue (v. 1660) et La Maîtresse et la servante (v. 1666). Le **Living Hall** est rempli d'œuvres majeures : Saint François de Bellini, l'Homme à la toque rouge de Titien, deux portraits de Holbein le Jeune, Saint Jérôme du Greco. Quelques beaux petits formats de l'école anglaise sont dans la **Library** (bibliothèque). Dans le **North Hall** se trouvent le célèbre portrait de La comtesse d'Haussonville par Ingres, le Portait de Valenciennes par Watteau, un Degas, un Monet et un buste de Houdon. La plus vaste pièce du musée, la **West Gallery**, décorée de meubles italiens du 16e s., est ornée d'œuvres des écoles de peinture italienne, hollandaise, espagnole, anglaise et française : Bronzino, Véronèse, Van Dyck, Hobbema, Van Ruisdael et Frans Hals, De La Tour, le Greco, Rembrandt, Goya, Vélasquez et Turner. On admire une collection d'émaux peints de l'école de

93

Limoges des 16e et 17e s. ainsi que des Italiens primitifs et de la Renaissance dans l'**Enamel Room**. L'**Oval Room** est l'écrin d'une rarissime réplique en terre cuite de *Diane chasseresse* par Houdon. L'**East Gallery** réunit des œuvres de grande qualité de Claude le Lorrain, David, Greuze, Goya, Gainsborough, Van Dyck, Van Ruisdael. Dans la **Garden Court**, vous pourrez admirer la *Corrida* de Manet et une marine de Whistler.

Asia Society and Museum★★

D4 – 725 Park Ave. - ℘ 212 288 6400 - www.asiasociety.org - tlj sf lun. et j. fériés 11h-18h (vend. 21h) - 10 $, gratuit vend. 18h-21h.
Fondé par **John D. Rockefeller III** (1956), cet espace est à la fois un musée et un centre culturel qui explore l'art, la création, mais aussi les rapports entre l'Ouest et L'Est. Les **collections★★** superbement mises en valeur traitent de l'ensemble du sous-continent indien, de l'Himalaya, de l'Asie du Sud-Est, de la Chine, de la Corée et du Japon. L'**architecture★** du bâtiment est remarquable, avec son escalier en acier et verre bleu reliant les niveaux.

Whitney Museum of American Art★★

D4 – 945 Madison Ave. - ℘ 212 570 3676 - www.whitney.org - merc.-jeu. et sam.-dim. 11h-18h, vend. 13h-21h - fermé lun. et mar. - 18 $, tarif libre vend. 18h-21h (min. 1 $).
Fondé (1931) par l'artiste **Gertrude Vanderbilt Whitney**, ce musée d'art américain des 20e et 21e s. est logé

dans une structure de granit et de béton brut de style Bauhaus. Le fonds compte plus de 10 000 œuvres exposées par roulement, une large place étant réservée aux expositions temporaires qui replacent la créativité nationale dans les courants artistiques mondiaux, passés et présents. Parmi les artistes, on remarque Marsden Hartley, Oscar Bluemner, Max Weber, Georgia O'Keefe, Charles Sheeler, Stuart Davis, Arshile Gorky, Milton Avery, Paul Cadmus, Robert Motherwell, Clyfford Still, Calder, Franz Kline, Andy Warhol, Kiki Smith… La star incontestée du musée est Edward Hopper, dont plusieurs tableaux sont exposés en permanence.

Metropolitan Museum of Art (Met)★★★

D3 – 5th Ave. - ℘ 212 535 6710 - www.metmuseum.org. - mar.-jeu. et dim. 9h30-17h30, vend.-sam. 9h30-21h - fermé lun., 1er janv., Thanksgiving et 25 déc. - 20 $ (10 $ pour les seniors), le billet est valable le même jour pour les Cloisters - plan disponible en français - audiotour des points forts en français 6 $.
Ce musée mythique, l'un des quatre ou cinq principaux au monde, surgit de la 5th Avenue, encadré de lourdes colonnes et enchâssé dans Central Park. Ses collections gigantesques, soigneusement mises en valeur, s'étendent des antiquités sumériennes à l'art du 20e s. Le musée, qui doit son existence aux nombreux legs et donations de riches mécènes, naquit en 1870 sur la portion de la 5th Avenue située dans Midtown. Sa façade

Entrée de l'hôtel Plaza.

Beaux-Arts date de 1902, mais les ailes nord et sud sont de 1911 et 1913. D'autres aménagements ont suivi, tels le pavillon Lehman (1975), l'aile Sackler (1978), la cour Petrie (1990), les salles grecques et romaines (2007) ou des arts d'Océanie.

Antiquités grecques et romaines★★

RdC et 1er étage. Ces salles lumineuses évoquent les racines de l'art occidental, de la préhistoire grecque à la fin de l'Empire romain. L'histoire grecque commence avec les *idoles cycladiques* toutes en rondeurs, du 5e millénaire av. J.-C. Puis les artistes ont progressivement acquis la maîtrise de leur art, comme on le voit sur les vases de la **période géométrique** (8e s. av. J.-C.), les vases et statuettes de la **période archaïque** (7e-6e s. av. J.-C.), reconnaissables à leurs personnages sur fond noir. Avec la **période classique**, les drapés et les visages s'affinent.

La **période héllenistique** produit de ravissantes sculptures, telle cette statuette en bronze d'une *Danseuse voilée et masquée* (3e-2e s. av. J.-C.). La civilisation romaine n'est pas en reste, avec la reconstitution raffinée d'une chambre ornée de fresques superbes (1er s. av. J.-C.). Ne manquez pas les vestiges de la **civilisation étrusque**, ou encore l'émouvante statue d'une *Vieille femme au marché* (1er s.) ou le sompteux sarcophage du *Triomphe de Dionysos et des Saisons* (3e s.).

Au 1er étage, une galerie est dédiée à **l'art chypriote** avec le ravissant *sarcophage d'Amathus* (5e s. av. J.-C.).

Art d'Afrique, des Amériques et d'Océanie★★★

RdC. Des objets hors du temps mettent en scène totems et masques à l'expressionnisme très contemporain, d'immenses pirogues prêtes à prendre le large. **Nelson Rockefeller** fit don d'une partie de ces collections en mémoire de son fils Michael, disparu en 1961 dans une expédition en Nouvelle-Guinée.

Art africain – À peu près toutes les facettes de l'art rituel des grandes tribus d'Afrique sont présentées ici. Masques et statues composent le plus gros de la collection, avec quelques raretés, comme une statuette assise, *Seated Figure* (Mali, 13e s.), poignante évocation de la désolation du deuil. Les masques dogons sont particulièrement beaux, de même que les bronzes du Bénin.

Art des Amériques – Le mobilier exposé évoque diverses civilisations du Mexique, du Pérou, de Colombie, de l'Équateur… Des figures ancestrales servaient au culte familial, d'autres étaient placées dans les tombes. Mais le plus spectaculaire reste le **Jan Mitchell Treasury**, une incroyable série d'or précolombien (du 1er au 16e s). On reste fasciné par de sompteux couteaux de cérémonie en or et turquoises, des masques funéraires, tel celui de Sícan (Pérou, 10e-11e s.), des timbales en or martelé, des figurines, des bijoux…

Art d'Océanie – Beaucoup plus dépouillés, les statuettes d'Océanie ont sans doute inspiré les silhouettes peintes par Matisse ou Picasso, comme les figurines, masques ou totems des Rapanuis, Maoris ou Papous. Remarquez le *chasse-mouches* en ivoire de baleine du roi tahitien Pomaré II (18ᵉ s.). Parmi les masques, ceux des îles Salomon ou Vanuatu sont spectaculaires. La collection d'objets rituels de Papousie-Nouvelle-Guinée est la plus étonnante, d'une merveilleuse sobriété, telle cette *Mère à l'enfant* (fin 19ᵉ-déb. 20ᵉ s.).

Art moderne★★★

RdC et 1ᵉʳ étage. La peinture américaine du 20ᵉ s. est représentée par les incontournables Edward Hopper, Georgia O'Keefe, Stuart Davis, Charles Sheeler, Arthur Dove et Marsden Hartley. L'art moderne international tourne autour de figures majeures, comme Picasso : *Arlequin* (1901), *L'Acteur* (1904-1905), *La Coiffure* (1906), *Le Rêveur* (1932), *Homme avec une sucette* (1938), *Cavalier et nu assis* (1967)… Admirez Matisse et son *Jeune marin* (1906), ses exotiques *Odalisque allongée* et *Odalisque assise* (1926), Balthus et *La Montagne* (1937) ou Giacometti, avec des statuettes et des peintures… On observe les débuts naïfs de Joan Miró, Dubuffet et sa *Rue de Paris et piétons* (1944), ou encore Yves Tanguy, Max Ernst et Dali. Ne manquez pas, de Victor Brauner, *Prélude à la civilisation* (1954), ni les délicieux Bonnard (*Après la toilette du matin*, 1910) et les toiles colorées de Derain (*Le chemin creux, l'Estaque*, 1906). Parmi les autres toiles célèbres, contemplez un *Garçon dans un maillot rayé* (1918) ou *Jeanne Hébuterre* (1919) de Modigliani, des Paul Klee, dont *Redgreen and Violet-yellow* (1920). On aborde ensuite les Américains les plus célèbres du 20ᵉ s. : Matta, Clyfford Still, Rothko, Franz Kline, Willem De

Kooning (*Woman*, 1944), Jackson Pollock et les stars du pop art, Andy Warhol et Roy Lichtenstein. La terrasse du toit accueille les expositions de sculpture monumentale.

Arts décoratifs et sculpture européenne★★

RdC. La période couverte par les **sculptures** va de la Renaissance au début du 20ᵉ s. Parmi les joyaux, on retrouve Houdon, Rodin et de nombreux sculpteurs italiens. Les collections d'**arts décoratifs** englobent mobilier, céramiques, textiles, peinture, orfèvrerie et verrerie. Des reconstitutions de pièces donnent une idée des styles successifs, surtout en Angleterre et en France.

Art médiéval★★★

RdC. Cet énorme ensemble, disposé autour d'un hall central, rassemble plus de 4 000 œuvres d'art, de la chute de l'Empire romain à la Renaissance. On y retrouve les grands courants de l'art médiéval, de Byzance et son influence, qui perdura jusqu'au premier art roman, aux styles flamand, anglais, allemand, italien et français.

Le hall principal, consacré à la sculpture, distille une atmosphère quasi religieuse, avec la monumentale *barrière de chœur* construite pour la cathédrale de Valladolid, en Espagne (17ᵉ-18ᵉ s.). Les tapisseries, le mobilier et les objets précieux, profanes ou sacrés, sont remarquables, comme les jeux de société (os et bois, Italie, 14ᵉ-15ᵉ s.) ou les ravissants **panneaux sculptés★★** en os et en corne, figurant des scènes romanesques ou mythologiques, montés sur des coffres (Italie, 1400-1409). Parmi ces trésors, admirez les statuettes votives, tabernacles ou diptyques en ivoire, les étonnantes **boules de rosaire**★★ en ivoire ou en bois sculptés de délicates scènes religieuses, les **coffrets en émaux champlevé**★★★ (Limoges, 12e-13e s.), l'exceptionnel **retable d'autel**★★★ en os et corne racontant les vies de Jésus, de Jean-Baptiste et de l'évangéliste Jean (Italie du Nord, 1390-1400), ainsi que les **retables peints** des 15e et 16e s., parmi lesquels *La Vie et les miracles de saint Godelieve* (Bruges, 15e s.). Très spectaculaire aussi, l'orfèvrerie sacrée compte une série de **reliquaires**★★ en argent et en or, ainsi que des **croix de procession**★★ et des objets de culte.

Collection Robert Lehman★★

RdC. Les collections de ce financier – mobilier, peintures, sculptures – et de son fils sont mises en scène dans des pièces qui rappellent celles de la demeure des donateurs : des primitifs italiens, dont une superbe *Nativité* (1409) de Lorenzo Monaco et une *Annonciation* (1485) de Botticelli ; des peintres hollandais, avec une *Annonciation* de Hans Memling ; quelques impressionnistes français, parmi lesquels les *Deux jeunes filles au piano* (1892) de Renoir. Notez aussi le *Nu devant la cheminée* (1955) de Balthus.

American Wing★★

RdC et 1er étage. Seuls les peintres américains nés avant 1876 (excepté le groupe des Huit) sont exposés ici, les autres étant avec l'art moderne *(voir p. 97)*.

Arts décoratifs américains – Le mobilier de la période coloniale comprend de solides coffres, tels ceux des ateliers d'Ipswich (Massachusetts, 1660-1680), ainsi que des meubles plus légers, commodes, cabinets et sièges rembourrés de **style William and Mary** et de l'argenterie, comme la *coupe de Cornelius Kierstede*. Peu à peu, ce parti pris d'élégance évolue vers le **style Queen Anne**, que l'on reconnaît aux sinuosités serpentines sur les fauteuils des ébénistes de Philadelphie (1740-1760). Les influences du **style Chippendale** s'additionnent progressivement à ces gracieusetés, avant que le retour au classicisme ne vienne tempérer cette évolution sophistiquée. Une série de reconstitutions de pièces meublées permet de mesurer l'évolution des styles et les influences européennes tout au long du 19e s. Le mouvement **Arts and Crafts** est représenté par les meubles issus de l'atelier Herter (autour de 1880). L'**école de la Prairie**, typiquement américaine, est illustrée par la fameuse maison *Little* (Wayzata, Minnesota, 1912-1914), dont on peut voir le salon, décoré par Frank Lloyd Wright. Faites une halte à l'**Engelhard Court** pour admirer les vitraux de Tiffany, verrier proche du mouvement Art nouveau.

Peinture et sculpture – La peinture s'exprime durant la **période coloniale** par des portraits, tel le célèbre *George Washington* (1795) de Gilbert Stuart, ou des scènes héroïques, telle *La Sortie de la garnison de Gibraltar* (1789), de John Trumbull. De l'**école de l'Hudson**, trois œuvres se détachent : la *Vue du*

Metropolitan Museum of Art.

Jon Arnold / hemis.fr

mont Holyoke *après un orage* (1835) de Thomas Cole, les *Chasseurs de fourrures descendant le Missouri* (1845) de George C. Bingham et *Vue des montagnes Rocheuses* (1863) d'Albert Bierstadt. Les œuvres des **postimpressionistes** James Whistler (1834-1903), John Sargent (1856-1925) et Mary Cassatt (1844-1926) sont de tout premier plan. On découvre avec plaisir des artistes moins connus, comme Martin J. Heade avec *Menace d'orage* (1859), Winslow Homer et son *Vent de nord-est* (1895), ou Thomas Eakins et son remarquable *Max Schmitt à l'aviron* (1871). La **sculpture** est représentée, entre autres, par *Le Montagnard* de Frederic Remington.

Armes et armures

RdC. Les armures, sabres, couteaux et pistolets, soigneusement ouvragés, méritent une petite visite.

Antiquités égyptiennes★★

RdC. Cette collection, considérée comme l'une des plus riches au monde en dehors d'Égypte, couvre tous les aspects de la civilisation égyptienne. Les objets sont présentés chronologiquement, de l'époque prédynastique (à partir de 5 000 av. J.-C.) jusqu'à la fin des dynasties égyptiennes et de l'époque antique (700 apr. J.-C.). Parmi les trésors exposés, notez un **peigne en ivoire★★** gravé de farandoles d'animaux (3200 av. J.-C.), la **chapelle de la tombe de Perneb★** (2450 av. J.-C.), une multitude d'objets usuels et figurines décorés que l'on plaçait dans les tombeaux, de magnifiques **bijoux**, les **modèles de Meketre**, la **chaise de Renyseneb★★** (1450 av. J.-C.), une rare série de **statues**

de la reine **Hatshepsout** (autour de 1500-1450 av. J.-C.) et des cercueils parmi lesquels le **sarcophage d'Harkhebi★**. Pour la période plus récente, le **temple de Dendur★** (env. 15 av. J.- C.), dédié à la déesse Isis, fut sauvé lors de la mise en eau du barrage d'Assouan, et offert aux États-Unis en 1965. Enfin, ne manquez pas les célèbres **portraits du Fayoum★★** d'époque romaine.

Costumes

Sous-sol, sous l'art égyptien. Ce petit espace présente l'histoire du vêtement à travers les siècles, à l'occasion d'expositions temporaires.

Antiquités du Proche-Orient

1er étage. Cette section couvre une vaste zone, de la Turquie à l'Afghanistan en passant par les montagnes du Caucase au nord de la péninsule arabe. Les antiquités datent de 8 000 av. J.-C. à 651 apr. J.-C. La diversité des cultures qui ont surgi dans cet espace est à l'origine d'une grande richesse artistique. Une tablette administrative en argile (Mésopotamie, 3100-2900 av. J.-C.) témoigne des débuts de l'écriture ; des objets en bronze d'Asie centrale (2e et 3e millénaires av. J.-C.) révèlent un style étonnamment contemporain.Dans la **Sackler Gallery** est reconstitué le hall d'audience du palais de Nimrud du roi assyrien Assurnazirpal II.

Art islamique★★

1er étage. Il commence au début de la fondation de l'islam, au 7e s., et continue jusqu'au 19e s. De belles calligraphies jouxtent de merveilleuses miniatures, des céramiques, des mosaïques, des bijoux, des textiles et des tapis.

Peinture et sculpture européennes au 19e s. ★★★

1er étage. Aucun musée au monde ne concentre une telle profusion d'artistes majeurs et d'œuvres universellement connues !

Le 19e s. fut le siècle de tous les grands mouvements artistiques qui marquèrent une révolution dans le traitement des sujets. Le **néoclassicisme**, inspiré par le modèle de David, puise ses sujets dans la mythologie et l'histoire antique. Le **romantisme**, à l'opposé, fuit la précision et recherche l'effet dramatique dans des thèmes exotiques ou allégoriques ; voyez Delacroix. L'**impressionnisme** reste le grand mouvement artistique du 19e s. et l'un des mieux représentés ici avec Renoir, Monet, Manet, Corot et Degas. Parmi leurs œuvres, ne manquez pas, de Renoir, *Le Bouquet de chrysanthèmes* (1881) ou *Dans le pré* (1888-1892). De Monet, les *Coquelicots, Argenteuil* (1875), *Les Meules* (1891), *La Cathédrale de Rouen* (1894), *Nymphéas* (1891)… De Manet, *En bateau* (1874) ou *La Famille Monet dans leur jardin à Argenteuil* (1874). À voir également Boudin ou Berthe Morisot… Les œuvres de **Degas**, réparties dans plusieurs salles, traitent ses sujets favoris : femmes à la toilette, danseuses, chevaux. Par **postimpressionnisme**, on définit l'éclosion de courants divers qui ont animé la seconde partie du 19e s. et le début du 20e s.. Van Gogh peint *Cyprès* (1890), *La Berceuse* (1888-1889) ou l'étonnant *Premiers pas* d'après Millet (1889-1890). De Seurat, voyez la subtile *Parade* (*Circus Sideshow*, 1888) ; de Paul Cézanne, *Les Baigneuses* (1874-1875), *Les Joueurs de cartes* (1890), et de Courbet, en particulier la *Femme au perroquet* (1866).

Dessins et photographies

1er étage. Parmi les dessins, admirez Dürer, Rembrandt, Tiepolo ou Goya. Pour les photographies, outre celles qu'Alfred Stieglitz légua au musée, vous découvrirez les New-Yorkaises Diane Arbus et Cindy Sherman.

Peinture européenne ★★★

1er étage. Toutes les écoles européennes de peinture, du Moyen Âge au 18e s., sont admirablement représentées. Les **écoles italiennes** (Florence, Venise, Sienne), très influencées par l'Église durant le Moyen Âge, berceau de la Renaissance, apportent de nouvelles techniques, un traitement plus réaliste de la lumière et de la perspective ainsi que des sujets de plus en plus profanes ou mythologiques. Parmi les chefs-d'œuvre, cherchez *L'Épiphanie* (1320) de Giotto, le *Portrait d'une femme et d'un homme à la fenêtre* (1440) de Filippo Lippi ou *La Dernière communion de saint Jérôme* (1490) du Florentin Botticelli. À voir aussi, *Les Musiciens* (1595) du Caravage et les tableaux de Raphaël, de Titien, de Tiepolo… D'un style plus sombre, l'**école espagnole** est représentée par des peintures saisissantes, comme la *Vue de Tolède* (1595) du Greco, ou le portrait de *Manuel Osorio Manrique de Zuñiga* (1790) de Goya. Les **écoles du Nord**, des Flandres, de Hollande et d'Allemagne, ont des caractéristiques très différentes. Le style gothique sévère perdure plus

101

longtemps, la technique de la peinture à l'huile donne une plus grande subtilité dans le jeu des lumières et dans le mariage entre sujets profanes et puritanisme austère. À voir, les portraits de Hans Memling, le *Jugement dernier* (1425) de Jan Van Eyck, *Les Moissonneurs* (1565) de Bruegel, le *Jeune homme et sa compagne à l'auberge* (1623) de Frans Hals, l'*Aristote avec un buste d'Homère* (1653) de Rembrandt et la merveilleuse *Jeune Femme à l'aiguière* (1662) de Vermeer. L'**école française** rassemble *La Diseuse de bonne aventure* (1630) de Georges de La Tour, *L'Enlèvement des Sabines* (1633-34) de Poussin ou le *Mezzetin* (1718-20) de Watteau.

Instruments de musique
1er étage. Vous pourrez contempler le plus vieux piano du monde (1720), des violons Stradivarius, des guitares d'Andrés Segovia et des instruments venus des quatre coins du monde.

Arts asiatiques★★★
RdC et 1er-2e étage.
Art chinois – Outre la reconstitution d'une cour de la dynastie Ming, le musée présente une belle variété d'art funéraire, de céramiques, d'objets en bronze et de **peintures**★★ chinoises, couvrant une large période depuis le néolithique (3e millénaire av. J.-C.) jusqu'à nos jours. Une partie est dévolue au Tibet, avec de superbes panneaux peints et un bouddha du 11e s.
Art coréen – Moins connu, il se distingue par ses vases et ustensiles en **céramique**★★ ou en bronze, ses poteries préhistoriques, et surtout ses beaux **coffrets**★ incrustés et laqués.

Art japonais – Vous verrez une série de **paravents**★, des panneaux peints, des **estampes**★ des 18e-19e s., des coffrets raffinés et une collection de *netsukes*★, breloques qui servaient de contrepoids pour attacher des fioles à la ceinture.
L'Asie du Sud-Est – Du Népal à l'Inde, en passant par la Thaïlande, le Cambodge et l'Indonésie, ces salles présentent tout le panthéon des divinités hindoues, notamment des sculptures khmères..

Neue Galerie★

E3 – 1048, 5th Ave. - ℘ 212 628 6200 - *www.neuegalerie.org* - tlj sf mar. et merc. 11h-18h (vend. 21h) - 15 $, audio tour en anglais inclus. -12 ans non admis.
Cet hôtel Beaux-Arts de la famille Vanderbilt abrite depuis 2001 les collections d'art allemand et autrichien de l'industriel des cosmétiques **Ronald Lauder** et du marchand d'art **Serge Sabarsky** : œuvres d'Egon Schiele, Gustav Klimt (dont le précieux *Portrait d'Adele Bloch-Bauer*, 1907), Oskar Kokoschka, Kandinsky, Paul Klee, George Grosz ; meubles et pièces d'art décoratif de l'école Wiener Werkstätte.

Guggenheim Museum★★

E3 – 1071, 5th Ave. - ℘ 212 423 3500 - *www.guggenheim.org* - tlj sf jeu. 10h-17h45 (sam. 19h45) - fermé 25 déc. -18 $, tarif libre vend. 18h-20h - le 1er vend. du mois (sf été), c'est le First Friday : de 21h à 1h, entrée pour 25 $ avec soirée animée par un DJ.

Guggenheim Museum.

GUGGENHEIM MUSEUM

La fondation Guggenheim, créée en 1937 par **Solomon R. Guggenheim**, est un conservatoire d'art contemporain et un modèle d'architecture moderne. L'édifice (1956) conçu par **Frank Lloyd Wright**, qualifié par certains de machine à laver, adopte la forme d'une spirale évasée. Dès l'entrée, on est frappé par la fameuse **rampe hélicoïdale★★** de 400 m et la verrière.

La **Kandinsky Gallery★★★** expose une sélection parmi les quelque 200 œuvres de l'artiste que compte le fonds permanent, l'un des plus importants au monde. La **collection Thannhauser** – 75 tableaux impressionnistes et postimpressionnistes – rassemble des toiles de premier plan, entre autres *La Repasseuse* de Picasso ou *Dans la vanillière* de Gauguin. Le reste du musée présente par roulement de nombreux artistes du 20e s. dont Brancusi, Calder, Marc Chagall, Paul Klee, Robert Delaunay, Joan Miró… Le musée, enrichi par les œuvres Dada et surréalistes données par Peggy Guggenheim, conserve 6 000 œuvres.

National Academy Museum★

E3 – *1083, 5th Ave.* - ☏ *212 369 4880* - *www.nationalacademy.org - merc.-jeu. 12h-17h, vend. 13h-21h, sam.-dim. 11h-18h - fermé lun.-mar., 1er janv., Thanksgiving et 25 déc. -10 \$.*

En 1825, des peintres comme **Asher Durand**, **Thomas Cole**, **Samuel Morse** et leurs collègues de l'école de l'Hudson créèrent un cercle d'artistes indépendants pour lutter contre la main mise des financiers sur l'art. La plupart de ceux qui gravitaient autour de New York y ont participé par la suite, avec comme seule obligation de léguer une de leurs œuvres et leur portrait à l'institution, qui rassemble aujourd'hui plus de 5 000 peintures et sculptures. Une partie de cet ensemble est exposée dans l'hôtel particulier de style Beaux-Arts d'**Archer Huntington** (1914).

Cooper-Hewitt Design Museum★★

E3 – *2 East 91st St.* - ☏ *212 849 8400* - *www.cooperhewitt.org - lun.-vend. 10h-17h., sam. 10h-18h, dim. 12h-18h - fermé lun. et j. fériés - 15 \$.*

Cet imposant hôtel particulier de 64 pièces (1902) appartenait au millionnaire de l'acier **Andrew Carnegie**. Le Cooper-Hewitt Design Museum, fondé dès 1897 dans le cadre de la Cooper Union, y emménagea en 1976. C'est le seul musée américain uniquement consacré aux arts décoratifs, mettant en avant le design à travers les cultures, les époques et les continents. Les collections comptent plus de 250 000 objets, dont certains datés de 3 000 ans, ainsi que 50 000 estampes et dessins. La maison et les magnifiques jardins illustrent la manière dont vivait la *gentry* new-yorkaise de la Belle Époque.

Jewish Museum★

E3 – *1109, 5th Ave.* - ☏ *212 423 3200* - *www.thejewishmuseum.org - tlj sf merc. 11h-17h45 (jeu. 20h) - fermé vend. et j. fériés - 12 \$, gratuit sam. 11h-17h45.*

104

Fondé en 1904 dans un bel édifice néogothique français par un riche banquier, **Felix Warburg**, ce musée raconte 4 000 ans d'histoire juive à travers quelque 28 000 objets dont une arche de la Torah du 12e s., de magnifiques reliures, des textiles, d'anciens vases rituels…

Museum of the City of New York★★

E2 – *Angle 5th Ave. et 103rd St. - ℘ 212 534 1672 - www.mcny.org - tlj sf lun. 10h-17h - fermé 1er janv., Thanksgiving et 25 déc. - contribution suggérée 10 $, gratuit dim. 10h-12h.*
Cet hôtel néogéorgien retrace l'histoire de la ville à travers des **reconstitutions d'intérieurs★★** (17e-19e s.), dont deux pièces inspirées de la maison de Rockefeller, une foule d'objets usuels ou décoratifs, ainsi que des maquettes. L'histoire maritime et celle du port sont également évoquées. Une collection de *teddy bears* et de superbes **maisons de poupées★★** raviront petits et grands !

El Museo del Barrio★

E2 – *1230, 5th Ave. - ℘ 212 831 7272 - www.elmuseo.org - tlj sf lun. et mar. 11h-18h - contribution suggérée de 6 $, gratuit le jeudi pour les seniors.*
Ce musée, créé en 1969 à la limite du quartier hispanique de Harlem, **El Barrio**, se consacre à la culture latino-américaine et caribéenne. Il encourage la créativité de cette communauté en mettant en avant le travail de jeunes

artistes lors d'expositions temporaires. Ses collections précolombiennes et contemporaines sont rarement présentées au public.

Gracie Mansion★

F3 – *East End Ave. - ℘ 212 570 4751 - www.nyc.gov - visite guidée (1h) le merc. à 10h, 11h, 13h et 14h - réservation obligatoire - 7 $.*
Ce ravissant manoir (1799), résidence officielle du maire de New York, est un parfait exemple de style fédéral, avec ses galeries couvertes et ses volets verts.

Bridgemarket★

D-E4 – *East 59th St., près du Queensboro Bridge.*
Jusque dans les années 1930, des stands d'alimentation se tenaient sous les vastes arcades de Bridgemarket qui servit ensuite d'entrepôt. Restauré, l'ensemble abrite magasins et brasseries.

Roosevelt Island Tramway★

D4 – *2nd Ave. - fonctionne avec la MetroCard ou un ticket de métro - 6h-2h (w.-end 3h30) ttes les 15mn.*
Parallèle au Queensboro Bridge, ce téléphérique offre une vision inattendue de la ville. La traversée ne dure que quelques minutes, mais il s'élève rapidement au-dessus du rivage, donnant une belle vue de Manhattan (surtout à la nuit tombée). De l'autre côté, Roosevelt Island conserve l'une des plus anciennes fermes de New York.

Upper West Side★ et Morningside Heights★

Moins chic que l'Upper East Side, ce quartier reste un bastion de l'élite intellectuelle. Du Lincoln Center et ses prestigieux concerts à l'université de Columbia, c'est la bonne société bourgeoise qui s'est installée là, plus libérale que sa rivale à l'est de Central Park, et le gratin artistique et littéraire qui refait le monde au son du jazz, de l'opéra ou des rythmes langoureux des musiques exotiques. Les avenues y sont bordées de librairies et de belles terrasses de café.

➜**Accès :** En métro, stations situées entre **Columbus Circle** et **Cathedral Parkway**, sur les lignes **1 à 3** et **A**, **B**, **C**. En bus, lignes **7**, **10**, **11**, **79**, **86**, **96**. Voir plan détachable C2-3-4, D1-2-3.

➜**Conseil :** Commencez par Columbus Circle, continuez à pied jusqu'à l'American Museum of Natural History, puis prenez le bus jusqu'à Columbia. Réservez à l'avance si vous voulez assister à un concert au Lincoln Center.

Upper West Side★

À la différence du reste de la ville, l'Upper West Side fut bâti du nord – sur l'emplacement de Nieuw Haarlem, fondé au 17ᵉ s. par le gouverneur Peter Stuyvesant, à hauteur de l'actuelle 125th St. – vers le sud. Mais c'est l'arrivée de la ligne aérienne de chemin de fer qui signa véritablement son développement. La création de Columbia University (1897) en fit un pôle d'attraction pour l'élite intellectuelle, les écrivains, les musiciens et la bourgeoisie juive.

Columbus Circle

C4 – À l'angle sud-ouest de Central Park, le carrefour de Columbus Circle, dominé par la statue de Christophe Colomb (1894), marque le début de l'Upper West Side. À l'entrée du parc, le **Maine Monument** (1913) rend hommage aux 260 marins du cuirassé *Maine* détruit dans le port de La Havane en 1898. Si vous avez le temps, prenez un verre au bar de l'hôtel Mandarin Oriental : entièrement vitré, il offre une vue superbe sur la ville.

Time Warner Center

C4 – Le sud-ouest de Columbus Circle est occupé par cet imposant immeuble (2004) à la façade concave. La base abrite un centre commercial et se partage ensuite en deux tours de verre de 80 étages, dont une partie est occupée par les bureaux de la Time Warner.

Lincoln Center

C4 – *Broadway, entre 62nd et 66th Sts.* Cet énorme complexe culturel héberge douze des plus prestigieuses formations artistiques new-yorkaises.

Colombus Circle avec la statue de Christophe Colomb vus depuis l'hôtel Mandarin Oriental.

L'ensemble compte cinq salles, une bibliothèque et de nombreux espaces de spectacle. L'idée de concentrer toute cette richesse en un seul lieu remonte à 1955. À l'époque, ce quartier insalubre avait servi de cadre au film *West Side Story*. Pour construire le Lincoln Center, il fallut raser 188 bâtiments. John D. Rockefeller III présida le comité de construction. La plaza centrale devance l'**Opéra** où sont présentés les spectacles du Metropolitan Opera et de l'American Ballet. Sur la droite, l'**Avery Fischer Hall** abrite le New York Philarmonic, qui travaillait auparavant au Carnegie Hall. En face, c'est dans le **New York State Theater** que sont domiciliés les New York City Opera et City Ballet. De l'autre côté de la 65th Street se trouve la Juilliard School.

Dakota Building

D3 – *1 West 72nd St.*
C'est à la triste fin de son locataire le plus célèbre, **John Lennon**, que les Dakota Apartments doivent leur célébrité. Le chanteur des Beatles fut assassiné devant l'entrée, en 1980. Auparavant, ce bel immeuble néogothique avait servi de cadre au film *Rosemary's Baby* de Roman Polanski. Lauren Bacall et Judy Garland y vécurent.

New York Historical Society★★

D3 – *170 Central Park West - ℘ 212 873 3400 - www.nyhistory.org - mar.-sam. 10h-18h (vend. 20h), dim. 11h-17h45 - fermé lun. - 12 $, gratuit vend. 18h-20h.*

Fondée en 1804 pour préserver l'histoire de la ville, cette institution rassemble une bibliothèque et un musée conservant de nombreux objets d'art, une belle série de peintures de l'**école de l'Hudson** et plus de 400 aquarelles de **John J. Audubon**, notamment une série préparatoire pour les oiseaux d'Amérique. Les expositions temporaires utilisent les collections selon des thèmes précis en rapport avec la ville. The **Henry Luce Center for the Study of American Culture** (2000) est organisé comme une réserve de musée, avec d'immenses vitrines garnies de près de 40 000 objets en tout genre : jeux, ustensiles usuels, lampes Tiffany, lit de camp de George Washington…

American Museum of Natural History★★★

D3 – *Central Park West, entre 77th et 81st Sts - ℘ 212 769 5100 - www.amnh. org - 10h-17h45 (vend. 20h45 pour le Rose Center) - fermé Thanksgiving et 25 déc. - 16 $ et forfaits divers selon que l'on visite le Rose Center, le Space Show, l'IMAX ou les expositions temporaires - visite guidée gratuite en anglais, dép. au quart de chaque heure - audio tour des points forts gratuit, uniquement en anglais.*
Immense, spectaculaire, ce musée d'Histoire naturelle est, tout comme sa bibliothèque scientifique, l'un des plus grands du monde. Son centre de recherche en biologie, anthropologie et astrophysique jouit également d'une prestigieuse réputation. Commencé en 1874, l'ensemble ne fut achevé que dans les années 1930. Se greffant sur le

style néoroman d'origine, les multiples adjonctions en ont fait un monument hétéroclite. Sa plus spectaculaire extension est le **Rose Center for Earth and Space**★★ (Centre pour la terre et l'espace), un étonnant cube de verre (2000). Mais ce sont surtout les anthropologues du musée qui font la valeur de l'institution, par leurs diverses explorations à la fin du 19e s. et au début du 20e s., et par leurs nombreux travaux. Le **Theodore Roosevelt Memorial Hall**★★ présente la reconstitution, haute de 16,80 m, d'un squelette de barosaure. La **salle de la biodiversité** (*RdC*) évoque les enjeux biologiques actuels. De là, on visite la **salle de la vie sous-marine**, puis on passe à une série de salles sur l'**environnement de l'Amérique du Nord** et celui, plus spécifique, de l'État de New York. Dans la salle des **Indiens de la côte Nord-Ouest**, on admire un immense canoë en cèdre et des collections d'artisanat amérindien et inuit, ainsi que des mâts totémiques. En revenant vers le hall d'accueil, on termine par les mammifères d'Amérique du Nord, complétant la découverte de cet environnement. L'arrière de l'étage, au-delà de la salle de la biologie et de l'évolution, est plus particulièrement consacré à la géologie, avec une **salle des météorites** (pièce majeure, un bloc de 34 tonnes, fragment de météorite trouvé au Groenland en 1895) et un **hall des minéraux et pierres précieuses** (quelque 4 000 spécimens dont l'*Etoile de l'Inde*, le plus gros saphir

du monde, 563 carats). Le premier étage se divise en quatre grands axes : **les peuples et la faune d'Afrique**, les **peuples d'Asie**, les **peuples d'Amérique latine**, et les **oiseaux**. Pour chaque continent, des dioramas splendides replacent les animaux et les hommes dans leur cadre d'origine. Plus de 60 000 objets reproduisent le quotidien de dizaines de peuplades, sur le plan aussi bien de la vie pratique que du sacré. L'ensemble est merveilleux, d'un point de vue esthétique, et très évocateur, sans jamais négliger l'aspect scientifique. Les **oiseaux** des mers du Sud ou du monde en général sont également très bien présentés, magnifiquement naturalisés.
Le deuxième étage regroupe des salles consacrées à l'ethnologie, en particulier aux **Amérindiens des forêts de l'Est et des Plaines**, avec reconstitution de leurs huttes. Un peu à l'écart, ponctuée de pièces de très grande qualité, la belle **salle des peuples du Pacifique**, dédiée à Margaret Mead, dégage une ambiance à la fois lumineuse et feutrée, propice à la méditation. Côté faune, on retrouve des reptiles, des primates et des oiseaux d'Amérique du Nord.
Le troisième étage compte les six magnifiques **salles des fossiles**, merveilles d'esthétisme et d'un grand intérêt scientifique. Vous découvrirez les premiers vertébrés, des dinosaures (dont un spectaculaire *Tyrannosaurus rex*) ainsi que des mammifères et leurs ancêtres : mammouths, mégathériums et autres mastodontes.

Rose Center for Earth and Space★★ – 20 $ - *Space Show de 10h30 à 16h30 ttes les 30mn.*

La présentation scientifique du cosmos repose ici sur l'utilisation des techniques audiovisuelles les plus performantes. Le **Space Theater** (dans la Hayden Sphere) vaut à lui seul le détour pour son **Star Show**, une présentation en 3D d'une balade dans l'espace, mise au point avec la Nasa. Au pied de la sphère, **Scales of the Universe** est une exposition longue de 120 m illustrant l'histoire de notre univers. Une courte présentation permet de se figurer le big bang. Le **Hall of Planet Earth** présente plus spécifiquement l'histoire de notre planète et de son évolution géologique et climatique. Le **Hall of the Universe** enfin, retransmet des images du télescope Hubble.

Cathedral church of Saint John The Divine★

D2 – *1047 Amsterdam Ave. - programmes au 212 316 7540 ou www.stjohndivine. org - 7h-18h.*
Construite pour l'Église épiscopalienne (1892), elle peut accueillir jusqu'à 3 000 fidèles. Devenue une sorte de centre culturel, elle sert de cadre à de nombreux spectacles. La façade occidentale, flanquée de deux tours inachevées, est centrée sur le **portail du Paradis** dont les portes en bronze ont été réalisées par le fondeur parisien qui travailla à la statue de la Liberté. L'immense nef est rythmée de 14 baies, dont les vitraux évoquent les occupations des humains. Derrière le chœur, les chapelles rayonnantes sont dédiées aux sept groupes ethniques immigrés aux États-Unis. Celle du centre contient un triptyque en argent (Keith Haring, 1989).

Columbia University★★

D1 – *114th à 120th St. - entrée principale sur Broadway, à la 116th St. - Visitor Center dans la Low Memorial Library : lun.-vend. 9h-17h.*
Fondée en 1754 par les Anglais sous le nom de King's College, elle fut rebaptisée Columbia College après la Révolution américaine. C'est une université privée, l'une des plus prestigieuses du pays, membre de la fameuse Ivy League, groupe de huit universités très sélectives de la côte Est. Elle est réputée pour ses départements scientifiques (anthropologie, génétique, biotechnologies), de droit et de business. En 1902, elle accueillit une école de journalisme financée par le patron de presse Joseph Pulitzer. Désormais, c'est elle qui décerne chaque année le prestigieux prix du même nom. Parmi ses étudiants célèbres, on recense 37 Prix Nobel, les présidents Roosevelt et Eisenhower, Madeleine Albright, Boutros Boutros-Ghali, des figures de l'économie comme Alan Greenspan ou Milton Friedman, et des écrivains tels Jack Kerouac, Allen Ginsberg, Federico García Lorca, J.- D. Salinger, Isaac Asimov ou Paul Auster. Columbia University compte aujourd'hui près

American Museum of Natural History, la galerie de l'Evolution.

de 24 000 étudiants. Les visiteurs sont autorisés à se promener librement sur le campus. L'ensemble est organisé suivant les principes du style Beaux-Arts : au centre se trouve une vaste plaza autour de laquelle se répartissent les principaux bâtiments. Au nord, la **Low Memorial Library★**, aux allures de temple (1895), rappelle le Panthéon de Rome. Elle est devancée par un imposant escalier, lui-même dominé par une statue de la déesse Minerve. À l'intérieur, admirez l'impressionnante rotonde et le décor de style Beaux-Arts. L'**Earl Hall** en brique rouge (1902), coiffé d'une coupole, se reconnaît à son fronton et ses colonnes néoclassiques. Il abrite les services sociaux et les différentes confessions religieuses présentes sur le campus. **St Paul's Chapel** est une église en brique, de style Renaissance italienne, qui accueille désormais des concerts. Au sous-sol, le **Postcrypt Coffeehouse** résonna dans les années 1960 des poèmes de Jack Kerouac et des chansons de Bob Dylan. Sur le coté sud de la chapelle, le **Buell Hall** (1878) est tout ce qui reste de l'asile psychiatrique qui occupait le site avant l'université. La Maison française, centre culturel français de l'université, est installée à l'étage supérieur. À l'arrière, une reproduction en bronze du *Penseur* de Rodin marque l'entrée du bâtiment de philosophie et de français. La **Butler Library** (1934) abrite la bibliothèque du campus, l'une des plus importantes du pays : y sont regroupés plus de 2 millions des 9,2 millions de volumes de l'université.

Riverside Park★

D1-2/C2-3 – Le parc s'étend en front de rivière, le long de l'avenue **Riverside Drive★**, depuis la 72nd jusqu'à la 155th St. La partie la plus agréable est située au sud de la 100th St., avec notamment le **Jardin anglais** (91st St.).

Riverside Church★

D1 – *Riverside Dr. et 120th St. - 9h-17h - clocher tlj sf lun.11h-16h, ascenseur pour le 20e étage, puis 147 marches.*
Cette imposante église néogothique fut partiellement financée par John D. Rockefeller. Son portail ouest s'inspire de celui de la cathédrale de Chartres. À l'intérieur : deux vitraux du 16e s. provenant de la cathédrale de Bruges et un carillon comprenant 74 cloches. Du haut de son clocher (120 m), belle vue sur l'Hudson.

General Grant National Memorial★

D1 – *Riverside Dr. et West 122th St. - ℘ 212 666 1640 - www.nps.gov/gegr. - 9h-17h (merc. en juil.-août 20h30) - fermé 1er janv., Thanksgiving et 25 déc.*
Ce monument (1896) de granit blanc est dédié à **Ulysses S. Grant**, commandant de l'armée de l'Union pendant la guerre civile puis président des États-Unis de 1869 à 1877. L'intérieur rappelle le tombeau de Napoléon aux Invalides à Paris. Un vaste dôme couvre la crypte dans laquelle des niches conservent les bustes des camarades d'armes de Grant. Des photographies disposées dans deux petites salles retracent sa vie.

Harlem

Oubliés l'image idéalisée d'un berceau du jazz et le spectre d'un ghetto violent et mal famé : le Harlem d'aujourd'hui est sorti des clichés qui l'ont stigmatisé pendant des décennies. S'il reste la capitale culturelle de l'Amérique noire, son paysage urbain change à toute vitesse. Les pouvoirs publics rénovent, et la bourgeoisie noire et blanche, libérée des préjugés raciaux, s'y installe en harmonie, chassant peu à peu les plus déshérités.

➜**Accès :** En métro, stations **125ᵗʰ** et **135ᵗʰ Streets** sur les lignes **A**, **B**, **C**, **D**, **2** et **3**. En bus, lignes **1** et **10**. Voir plan détachable F1, E1-2.

➜**Conseil :** Sauf si vous allez à une messe gospel un dimanche (venez tôt car les places sont limitées), les jours de semaine sont plus vivants. Prévoyez une soirée dans un club de jazz. Le soir (uniquement), si vous êtes seul ou en couple, rentrez en taxi.

Voir nos adresses p. 28 (restaurant idéal pour bruncher le dim.) et p. 34 (Sortir à Harlem).

Après la fondation, en 1658, du premier village hollandais (au sud du Harlem actuel), les environs sont restés ruraux jusqu'à l'arrivée du chemin de fer en 1837 puis des lignes aériennes de métro. À la fin du 19ᵉ s., Harlem devint un quartier à la mode et les promoteurs construisirent tant qu'ils ne trouvèrent pas de locataires. Ils louèrent donc à la classe moyenne noire, si bien que, dans les années 1920, on comptait déjà environ 60 000 Noirs à Harlem. Racisme aidant, les Blancs partirent peu à peu. L'éclosion de la culture **jazz** et la Prohibition firent des clubs animés de Harlem le rendez-vous de toute une population d'intellectuels, d'artistes et de fêtards. Les bars à la mode, réservés aux Blancs, vibraient aux accents du blues et du jazz noirs. Ce fut la grande époque de Harlem avec l'émergence d'une identité afro-américaine. La fin de la Prohibition et la **Grande Dépression** sonnèrent le glas de cette effervescence.

La scène du jazz émigra vers Greenwich Village, tandis que le chômage chassait la classe bourgeoise et abandonnait le quartier aux plus défavorisés. La dégradation de l'habitat et l'extrême pauvreté donnèrent à Harlem une sinistre réputation de coupe-gorge. Dans les années 1960, l'éveil de la conscience politique noire ramena Harlem dans la lumière, notamment avec les harangues de **Malcolm X** au Black Muslim Temple of Islam (il fut assassiné en 1965, sur la 166ᵗʰ St.). Harlem donna à New York son premier (et unique) maire noir, David Dinkins. Le quartier est lentement réhabilité. Boutiques et appartements se reconstruisent. Même si l'identité demeure vivante, la population noire, qui n'a plus les moyens de payer les loyers, émigre en masse hors de New York. Comme bien d'autres quartiers, Harlem s'uniformise.

Studio Museum in Harlem★

E1 – *144 West 125th St. - ℘ 212 864 4500 - www.studiomuseum.org - tlj sf lun. et mar. 12h-18h (sam. 10h-18h) - 7 $, gratuit le dim. de 12h à 18h.*

Depuis 1968, ce musée, consacré à l'art afro-américain et aux artistes locaux, présente de belles expositions temporaires, allant du folk art aux vidéos et aux installations plus conceptuelles.

Marcus Garvey Park★

F1-2 – En descendant vers le sud, entre les West 124th et 119th Sts, vous longerez ce joli parc escarpé. Côté ouest, vous verrez une rangée de *brownstones* bien rénovées, permettant d'imaginer le Harlem bourgeois de la fin du 19e s.

Apollo Theater★

E1 – *253 West 125th St.*
En 1914, ce monument de l'histoire du jazz était interdit aux Noirs. En 1934, il prit son nom actuel, devint le temple de la musique black et accueillit certains spectacles mémorables de Louis Armstrong, Aretha Franklin, Ray Charles, James Brown et même les Jackson Five. La Nuit des amateurs (mercredi) a révélé d'immenses talents. Rénové en 2002, l'Apollo est redevenu l'une des scènes les plus courues de New York.
◔ *voir aussi p. 34.*

Schomburg Center for Research in Black Culture★

F1 – *515 Malcolm X Blvd - ℘ 212 491 2200 - www.nypl.org - horaires variables.*
Arthur Schomburg, un Portoricain (1874-1938), montra à travers de nombreux documents que les Noirs américains avaient une histoire, un héritage et une identité. Ce centre cumule plus de 5 millions de documents illustrant cette culture.

Strivers Row

F1 – *West 138th et 139th Sts.*
Ces belles *brownstones* où s'était installée la bourgeoisie noire montante dans les années 1920 abritent des demeures de styles géorgien et néo-Renaissance réhabilitées peu à peu.

Morris-Jumel Mansion

Hors plan (par E1) – *Angle West 160th St. et Edgecombe Ave. - ℘ 212 923 8008 - www.morrisjumel.org - tlj sf lun., mar. et j. fériés 10h-16h - 5 $.*
Ce manoir (1765) est le dernier témoin de la période prérévolutionnaire. Il abrita, durant la guerre d'Indépendance (1776), le quartier général de **George Washington**. De style fédéral, il fut acheté par les **Jumel**, de riches négociants français.

Rue de Harlem.

The Cloisters★★★

Perché sur une colline dominant les berges boisées de l'Hudson, au nord de Washington Heights, ce musée original reproduit l'architecture d'un monastère fortifié européen. À l'intérieur, la collection d'art médiéval côtoie des cloîtres démantelés sur le Vieux Continent et remontés, ici, pierre par pierre! L'ensemble, d'une grande sérénité, illustre admirablement l'art sacré du Moyen Âge.

➔**Accès :** Seule la **ligne 4 de bus** dessert les Cloisters (comptez 1h depuis Midtown). Pas de ligne directe en métro. La **ligne A** vous déposera à la station 190th Street, où vous récupérez la ligne 4 du bus. Plan détachable : hors plan par E1.
➔**Conseil :** Le site se prête superbement à un pique-nique.

Les Cloisters★★

Durant ses voyages en Europe, le sculpteur américain **George Barnard** rassembla une quantité impressionnante de vestiges architecturaux du sud de la France. En 1925, **John D. Rockefeller** fit don au Metropolitan Museum d'une somme pour acquérir cette collection, qu'il enrichit d'œuvres lui appartenant. Puis il fit construire un musée du Moyen Âge à Tryon Park (1938). L'**art roman** est mis à l'honneur dans le Romanesque Hall et dans la *chapelle Fuentidueña* (Castille, 1160). Le *cloître de St-Guilhem* (Hérault, fin 12e s.) annonce le premier gothique. L'**art gothique** lui-même prend toute sa dimension avec la *chapelle de Langon* (abbaye de Moutiers-St-Jean, 13e s.), le *cloître de Cuxa* (monastère St-Michel-de-Cuxa) et la *salle capitulaire de Pontaut*. Au niveau inférieur, une chapelle gothique abrite des tombes de Catalogne et d'Aragon (13e-14e s.). Le *cloître de Bonnefont* (France, 13e-14e s.) borde un jardin médiéval en terrasse sur l'Hudson. Le *cloître de Trie* (fin 15e s.) restitue à merveille le recueillement et la sérénité des monastères.

Les collections★★★

La **Glass Gallery** réunit une série de vitraux, de statues et un retable flamand de la *Nativité* (Rogier Van der Weyden, 15e s.). Le **trésor** rassemble une belle collection d'objets sacrés : des émaux cloisonnés de Limoges (13e s.), une délicate boule de rosaire (Pays-Bas, 16e s.), la croix des Cloisters (12e s.), de splendides tentures brodées, les pages enluminées des *Riches Heures du duc de Berry*, une ravissante salière à piédestal en or et cristal de roche (Paris, 13e s.). La collection de **tapisseries**, parmi les plus anciennes au monde (15e-16e s.), est exceptionnelle. D'autres salles abritent vitraux, retables et statues de style gothique ainsi que l'admirable triptyque de l'*Annonciation*, du Flamand Robert Campin (15e s.).

Brooklyn★★ et le Queens

Brooklyn, c'est ce curieux mariage de banlieue devenue chic et de ville provinciale et populaire, c'est Dumbo, le nouveau quartier de bureaux, Williamsburg et ses artistes, Park Slope et ses familles, Red Hook et les derniers dockers... Le Queens, plus au nord, est un authentique melting-pot à l'américaine, avec toutes les nationalités qui font New York. C'est là que le cinéma vit le jour, que de nouveaux musées ouvrent et que s'installent les artistes.

➜**Accès :** De nombreuses lignes de métro (presque toutes !) vous mèneront à Brooklyn et dans le Queens. En bus, lignes **B38**, **B39**, **B61** pour Brooklyn, ligne **12** pour le Queens. Vous pouvez aussi traverser le pont de Brooklyn à pied pour profiter de la vue sur Manhattan. Voir plan détachable B-C8, F4, E5-7-8, G5 et plan détaillé p. 120.

➜**Conseil :** Si vous avez peu de temps, contentez-vous de Manhattan, sinon, profitez-en pour explorer les abords de Brooklyn et du Queens.

Brooklyn★★

Brooklyn a une histoire presque aussi ancienne que celle de Manhattan. Cette région autrefois rurale a été intégrée à New York en 1898. C'est aujourd'hui **le plus peuplé des boroughs** new-yorkais (presque 2,5 millions d'habitants, ce qui en ferait la quatrième ville des États-Unis), un mélange de gens et de genres, une ville **pluriethnique** marquée par l'installation massive d'immigrés et une série de quartiers élégants, tel **Brooklyn Heights**, habités par des New-Yorkais aisés qui travaillent à Manhattan. Aux beaux jours, les pelouses de **Prospect Park** et les plages de **Coney Island**, au sud, sont prises d'assaut !

Brooklyn Heights★

B8 et plan détaillé p. 120 – À l'époque de la Révolution américaine, cette partie de Brooklyn servit de quartier général à **George Washington**. Ensuite, ce fut la première zone à se développer quand les tranferts vers Manhattan devinrent plus aisés. La **promenade**, qui surplombe la rivière et longe les jardins des demeures bourgeoises, offre une belle **vue★★★** sur Lower Manhattan et ses gratte-ciel.

Williamsburg★

E7-8 – Colonisé par les artistes qui fuyaient Manhattan, Williamsburg, avec ses restaurants branchés, s'est centré autour de Bedford et Berry Streets, au nord de **Williamsburg Bridge**. De ce pont qui relie le Lower East Side à Brooklyn, et des berges de l'East River, vous aurez de belles vues de Midtown.

Dumbo★/Empire Fulton Ferry State Park★★

C8 et plan détaillé p. 120 – Situé entre Brooklyn et Manhattan Bridge, **Dumbo**

117

(**D**own **U**nder the **M**anhattan **B**ridge **O**verpass) est un ancien quartier d'usines et d'entrepôts en pleine mutation, réhabilité par les jeunes « bobos » du Financial District. Depuis l'**Empire Fulton Ferry State Park**★★ situé au bord de la rivière, vous pourrez admirer les hautes tours de Manhattan. Vision surréaliste et inoubliable garantie !

Prospect Park★

Plan détaillé p. 120 – *www.spectpark.org -bus gratuit pour le tour du parc les sam., dim. et j. fériés : dép. côté Grand Army Plaza ttes les heures, de 12h30 à 16h30.* Cet espace vert, dessiné par les architectes paysagistes de Central Park, regroupe un petit zoo, le **Brooklyn Botanic Garden**★ *(Lefferts Historic House - ☏ 718 623 7200 - www.bbg.org)* et une ferme hollandaise du 18e s.

Brooklyn Museum of Art★★

Plan détaillé p. 120 – *200 Eastern Parkway - ☏ 718 638 5000 - www. brooklynmuseum.org. - merc.-vend. 10h-17h, w.-end 11h-18h (1er sam. du mois 23h) - fermé lun., mar., 1er janv., Thanksgiving et 25 déc. - 10 $, billet combiné avec le Botanic Garden 16 $ - audio tour en anglais.* Le Brooklyn Museum of Art (1897) est l'un des plus riches de la ville. Sa présentation et ses collections sont d'une grande qualité.

Arts d'Afrique, du Pacifique et des Amériques★★★ – *1er niv.* L'Afrique est vue à travers une splendide sélection de masques et statuettes en bois ou en bronze, de la plupart des grandes tribus. Les peuples du Pacifique sont évoqués avec l'art maori. Les tribus indiennes des Amériques regroupent les Incas et les Mayas, ainsi que les tribus du nord-ouest de l'Amérique.

Arts asiatiques★ – *2e niv.* Y sont illustrés les arts des différentes civilisations asiatiques (Chine, Corée, Japon, Inde, Népal, Asie du Sud-Est) et arabes (art islamique).

Antiquités égyptiennes★★★ – *3e niv.* Ces collections, parmi les plus réputées au monde, rassemblent des objets usuels passionnants. Une première partie présente l'histoire, une seconde explique les différentes facettes de la vie quotidienne en Égypte durant l'Antiquité.

Peinture européenne★★ – *3e niv.* Cette partie est organisée comme une promenade à travers 700 ans de peinture en Europe, comprenant des paysages, des portraits et des scènes de genre ou historiques.

Arts décoratifs★★ – *4e niv.* Il s'agit de reconstitutions d'intérieurs de différents styles et époques, la plus ancienne étant celle d'un intérieur hollandais du 17e s. On y retrouve aussi l'éclectisme qui a marqué la fin du 19e s. et le début du 20e s., du néogothique au japonisant, aboutissant à l'Arts & Craft, l'Art nouveau puis à l'Art déco.

Elizabeth A. Sackler Center for Feminist Art★ – *4e niv.* Ce département original s'intéresse à l'art vu et exécuté par les femmes en fonction de leur sensibilité propre. L'œuvre centrale est *The Dinner Party*

Scène de rue dans Williamsburg.

(1974-1979), une vaste installation de Judy Chicago.

Peinture et sculpture américaines★★★ – *5e niv.* Cette série s'inscrit dans la géographie, les ethnies et le quotidien du pays ; sont évoqués l'art du paysage, les peintures de genre, la guerre de Sécession, l'exotisme, les peintres autodidactes, les artistes des grandes écoles, le passage du 19e s. romantique au 20e s. industriel, l'expressionnisme abstrait et le minimalisme de la seconde moitié du 20e s.

La sculpture de Rodin★ – *5e niv.* Les figures des *Bourgeois de Calais* et de *Balzac* côtoient la *Porte de l'Enfer* et diverses études.

Peinture de la Renaissance★ – *5e niv.* Belle sélection de peintures italiennes allant de la pré-Renaissance du 14e s. au milieu du 16e s.

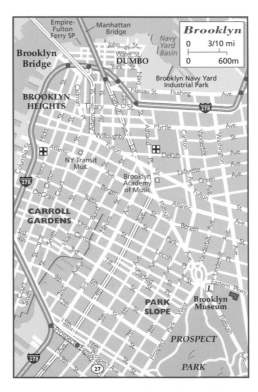

Queens

Le Queens, le plus étendu des cinq boroughs de New York, occupe, avec Brooklyn, la partie occidentale de Long Island. C'est là que se trouvent deux des trois aéroports desservant New York : John F. Kennedy et LaGuardia Airport. C'est aussi là que se dressent deux des grands temples sportifs de la ville, le Shea Stadium et Flushing Meadows, qui accueille l'US Open de tennis. Dans les années 1920, le quartier d'Astoria comptait une vingtaine de studios de cinéma. Aujourd'hui, après avoir été longtemps dédaigné, le Queens, riche de nombreuses communautés, profite de la flambée des prix de Manhattan pour attirer artistes, jeunes créateurs et entreprises.

P.S.1★

E5 – 22-25 Jackson Ave. - ℘ 718 784 2084 - www.ps1.org. - tlj sf mar., merc. et j. fériés 12h-18h - 5 $ (prix suggéré), gratuit avec un billet du MoMA datant de moins de 30 j.
Ce centre artistique, voué à l'art (très) contemporain, dépend du MoMA. Ses cinq niveaux sont consacrés à des expositions temporaires de peinture, sculpture, vidéo ou performances.

Museum of the Moving Image★

G5 – 35ᵗʰ Ave., Astoria - ℘ 718 784 4520 - www.movingimage.us - mar.-vend. 10h-15h - 7 $.
Ce musée, avec ses costumes et ses photos d'acteurs de légende, s'est installé dans l'ancien quartier de l'industrie du cinéma, sur le site des studios Astoria.

Noguchi Museum★

F4 – 9-01, 33ʳᵈ Rd., Long Island City - ℘ 718 204 7088 - www.noguchi.org - merc.-vend. 10h-17h, w.-end 11h-18h - fermé lun., mar., 1ᵉʳ janv., Thanksgiving et 25 déc. - 10 $, tarif libre le 1ᵉʳ vend. du mois.
Isamu Noguchi (1904-1988), grand sculpteur américain d'origine japonaise, est célèbre pour ses jardins (Unesco, Paris), ses espaces publics (Hart Plaza, Detroit), ses terrains de jeux (Playscape, Atlanta), ses objets (les fameuses lampes Akari en papier et bambou) et ses décors de théâtre (Balanchine, Martha Graham). Le musée présente des échantillons de ses sculptures, ainsi que des sculptures d'autres artistes contemporains. Il organise également des expositions de photographie et design.

121

Roosevelt Island Tram et Queensboro Bridge.

C. Heeb / he

Pour en savoir plus

123

Les dates clés

1524 - Giovanni da Verrazzano, envoyé par François Ier, découvre le site de New York.

1609 - Henry Hudson explore le fleuve qui porte son nom pour le compte de la Compagnie hollandaise des Indes Occidentales.

1614 - La région devient une colonie hollandaise : la Nouvelle-Hollande.

1625 - Un comptoir baptisé Nouvelle Amsterdam s'installe sur l'île de Manhattan.

1626 - Peter Minuit « achète » Manhattan aux Algonquins.

1636 - Le Danois Johannes Bronck s'installe là où se développera le Bronx.

1644 - Les esclaves amenés par les Hollandais en 1626 sont « affranchis ».

1647 - Peter Stuyvesant occupe le poste de gouverneur général de la colonie.

1653 - Il fait construire une enceinte fortifiée au niveau de Wall Street.

1657 - Arrivée des quakers anglais.

1664 - Les Anglais s'emparent de la Nouvelle Amsterdam, qui devient New York.

1667 - Le traité de Breda leur accorde la possession de la colonie.

1673 - La Hollande reprend la ville qui est rebaptisée Nouvelle Orange.

1674 - Le traité de Westminster restitue la Nouvelle-Hollande à l'Angleterre.

1688 - Troubles à New York. Un partisan de la Réforme prend le pouvoir, mais il est pendu en 1691.

1725 - William Bradford crée le premier journal de la ville, la *New York Gazette*.

1734 - John Peter Zengler, du *New York Weekly Journal*, s'oppose au gouverneur britannique qui le fait emprisonner. Sa libération triomphale l'année suivante marque pour la première fois l'attachement de la cité à son indépendance d'opinion.

1763 - Le traité de Paris confirme la domination de l'Angleterre sur le continent nord-américain.

1764-1765 - Le Sugar Act et le Stamp Act provoquent une vive irritation de la population contre les Anglais et entraînent l'union des neuf colonies.

1767 - Les « taxes Townsend », qui imposent lourdement les colonies, rompent le calme précaire.

4 juillet 1776 - Adoption de la Déclaration d'indépendance. C'est la guerre.

1783 - Le traité de Paris reconnaît l'indépendance des treize colonies américaines. Georges Washington entre triomphalement dans New York, qui devient, l'année suivante, la première capitale des États-Unis.

1789 - Washington est élu premier président des États-Unis.

1807 - Fulton relie New York à Albany avec son navire à vapeur.

1811 - Le Randel Plan quadrille la ville, suivant 12 avenues longitudinales et 155 rues transversales.

1812 - Les États-Unis déclarent la guerre à la Grande-Bretagne. New York est durement affecté par le blocus.

1817 - Création du Stock Exchange.

1820 - La population new-yorkaise atteint 123 706 habitants, ce qui fait de New York la plus grande ville du pays.

1825 - Le canal Érié relie les Grands Lacs au port de New York, qui draine rapidement la moitié des importations de l'ensemble des États-Unis.

1827 - L'esclavage est aboli dans l'État de New York.

1835 - Un incendie ravage la ville.

1845 - La première ligne télégraphique relie New York à Philadelphie. Edgar Poe s'installe à Greenwich Village.

1851 - Parution du *New York Times*.

1852 - Exposition universelle au Crystal Palace.

1857 - La construction de Central Park commence. Elle durera 16 ans.

1861-1865 - Guerre de Sécession. Après l'assassinat de Lincoln, son corps est exposé à New York, au City Hall.

1868 - Premier métro aérien.

1869 - « Vendredi noir » et grande panique financière de la ville.

1872 - Inauguration du Metropolitan Museum of Arts.

1886 - Inauguration de la statue de la Liberté.

1891 - Inauguration du Carnegie Hall, sous la baguette de Tchaïkovski.

1902 - Achèvement du Flatiron Building.

1904 - Première ligne de métro souterrain.

1913 - Duchamp fait scandale lors de la première exposition d'art moderne du New York Armory Show.

1917-1919 - Les États-Unis prennent part à la Première Guerre mondiale.

1919-1933 - Prohibition de l'alcool.

1922 - Ouverture du Cotton Club.

1929 - Krach de Wall Street.

1931 - Inauguration de l'Empire State Building.

1939 - Inauguration du Rockefeller Center.

1941-1945 - Participation des États-Unis à la Seconde Guerre mondiale.

1952 - L'ONU s'installe à New York.

1962 - Marilyn Monroe chante à Madison Square Garden en l'honneur du président Kennedy.

1965 - Assassinat, à Harlem, du leader noir Malcolm X.

1970 - Premier marathon de New York.

1973 - Inauguration du World Trade Center.

1979 - Sortie du film *Manhattan*, de Woody Allen.

1980 - John Lennon est assassiné devant son domicile, le Dakota.

1993 - Explosion d'une bombe terroriste au World Trade Center.

1994 - Rudolph Giuliani est élu maire.

Janvier 2001 - Hillary Clinton entame son mandat de sénateur de New York.

11 septembre 2001 - Attentat terroriste et destruction du World Trade Center : 2 752 morts et disparus.

4 juillet 2004 - Pose de la première pierre de la Freedom Tower.

Janvier 2006 - Michael Bloomberg est investi pour un second mandat de maire.

Septembre 2008 - Chute de la banque Lehman Brothers et crise financière. Wall Street s'effondre.

Novembre 2008 - Barack Obama est élu président des États-Unis.

Janvier 2010 - Michael Bloomberg entame son troisième mandat de maire.

De New Amsterdam à New York

Une terre à conquérir

Giovanni da Verrazzano, explorateur florentin au service du roi de France François Ier, est le premier Européen à pénétrer dans la baie de New York, en 1524, tandis qu'il cherche une voie vers les Indes. En 1609, l'Anglais **Henry Hudson**, qui navigue pour les Hollandais, explore lui aussi la région. Remontant le fleuve qui porte à présent son nom, il rencontre en chemin des Amérindiens et repart en décrétant ces territoires propriété hollandaise. Des comptoirs sont créés dès le 17e s. Ils entretiennent un actif négoce avec les « Indiens », dont deux groupes se partagent le territoire : les Mohawks, de la confédération des Iroquois, et les Algonquins, dits aussi « Delaware ».

La Nouvelle Amsterdam

En 1614, la toute-puissante Compagnie hollandaise des Indes occidentales fonde la **colonie de la Nouvelle-Hollande**, à l'emplacement de l'actuel New York. En 1626, Peter Minuit « achète » Manhattan (du mot algonquin *menatay*, qui signifie « île ») à une tribu de passage, les Wappingers, pour 60 florins de produits divers (l'équivalent de 26 dollars !). Rapidement, des tensions raciales naissent, sous la pression des colons. Les premières violences ont lieu en 1640, contre les Algonquins. Par la suite, au gré

d'alliances successives, les différentes tribus amérindiennes de la région participeront aux guerres entre colons rivaux, anglais, français et américains.

Naissance d'une ville

Après avoir construit des fortifications à la pointe sud de l'île de Manhattan, l'ingénieur hollandais **Fredericksz** élabore les plans de la future cité, New Amsterdam. C'est à lui que l'on doit les rues tortueuses de cette partie de New York au bord desquelles se bâtissent les *boweries* (fermes), souvent dans des zones marécageuses, où l'expérience ancestrale des Hollandais pour le drainage fait merveille. Des domaines agricoles apparaissent plus au nord et dans les secteurs de Brooklyn, du Queens, du Bronx et de Staten Island. Mais le grand chantier urbain ne sera jamais vraiment mené à son terme. Seul le mur défensif sera suffisamment pérenne pour que la rue qui le remplace en garde le nom, Wall Street. Le célèbre **Peter Stuyvesant** sera le dernier gouverneur général de la colonie. En effet, la Hollande décide de se consacrer à l'Asie. La Nouvelle-Hollande est donc quasiment abandonnée. En 1664, c'est sans combattre que la ville se rend aux Anglais, pour un règne de 119 ans. New Amsterdam est rebaptisée New York en l'honneur du frère du roi Charles II, duc d'York.

New York et l'immigration

À New York, l'immigration est incessante, toujours supérieure à ce que la ville peut supporter. Attirées par son développement qui semble déjà sans limites, des vagues d'immigrants déferlent sans discontinuer, au gré des guerres, conflits politiques ou pressions économiques qui affectent l'Europe.

La vague irlandaise

Les Irlandais, poussés par la famine, arrivent en masse à New York. En 1860, ils représentent un tiers de ses habitants. Pauvres, souvent illettrés, ils sont méprisés par les descendants des colons et doivent se battre pour leur survie. Les premiers gangs répertoriés de New York sont irlandais. Affichant crânement leur identité dans les quartiers dont ils sont les maîtres, ils prennent peu à peu le pouvoir sur la police de la ville et sa gestion. Ces gangs, bientôt rejoints par des congénères d'autres origines, italiens, juifs, centre-américains, sud-américains et asiatiques, seront un des phénomènes dominants de la vie de la cité, à toutes les époques.

La question noire

Moins connue est l'immigration qui concerne les Noirs. L'histoire de New York est à ce sujet assez trouble. En 1626, les Hollandais ramènent des esclaves d'Afrique, comme le feront plus tard les Anglais. Plusieurs marchés aux esclaves prospèrent à Wall Street. En 1817, la traite des Noirs est officiellement abolie à New York, mais, même libres, les Noirs ont une vie difficile. Si quelques-uns constituent une ébauche de classe moyenne, l'ensemble vit misérablement.

Contrôler l'immigration

Pour la majorité des immigrants, New York est l'espoir d'une nouvelle vie, où les plus chanceux peuvent devenir riches. Main-d'œuvre recherchée pour les grands travaux, ils sont suspectés de tous les maux. Très vite, les New-Yorkais tentent de contrôler les arrivées. Un « bureau de tri » est d'abord installé à Castle Garden, puis sur Ellis Island : 20 000 immigrants y sont « traités » par jour, soit 16 millions d'Européens jusqu'à sa fermeture, en 1924. Nombre d'entre eux poursuivent leur route vers l'ouest du pays, mais beaucoup s'installent à New York, provoquant un fantastique accroissement de la population, de 500 000 en 1850 à plus de 3 millions en 1900, ce qui en fait la ville la plus peuplée du monde. Car New York est devenue le symbole de la liberté. C'est ainsi que les Juifs fuyant les persécutions sont rejoints par les Italiens, puis les Chinois. Si les nantis n'ont aucune difficulté à s'installer, la plupart sont plongés dans la plus extrême précarité. Les communautés tendent à se regrouper dans les mêmes quartiers (Little Italy, Chinatown, Lower East Side…), donnant à la ville son caractère pluriethnique si caractéristique.

New York cosmopolite

Une ville pluriethnique

Avec ses cinq *boroughs*, New York comptait au dernier recensement un peu plus de 8 millions d'habitants. C'est une population ethniquement variée, avec 45 % de Blancs, 26,6 % de Noirs, 27 % de personnes d'origine hispanique ou latino et environ 10 % d'Asiatiques. Près de 36 % des New-Yorkais sont nés à l'étranger et environ 48 % ne parlent pas l'anglais à la maison. Le plus gros contingent d'immigrants vient désormais de République dominicaine, de Chine, de Jamaïque, de Guyane et du Mexique, même si on note aussi des arrivées du Bangladesh, du Nigeria, du Ghana, des Philippines, de Russie et d'Ukraine. Soulignons que, pour la première fois depuis la guerre de Sécession, le nombre de Noirs a baissé parce que les difficultés économiques les poussent à partir vivre ailleurs.

Vivre en communauté

L'une des caractéristiques de New York, comme de toutes les villes américaines, est la communautarisation. Il en résulte des poches ethniques très diverses, où l'on entend parler des langues étrangères, où des journaux spécifiques paraissent, et où boutiques et restaurants affichent clairement la culture du voisinage. Pour le visiteur, outre le dépaysement radical qui l'attend au sortir d'une station de métro, la surprise vient de l'extrême compartimentation de la ville. Il suffit parfois de traverser la rue pour changer de continent. Les communautés historiques ont souvent rendu leur quartier célèbre : les Juifs dans le Lower East Side, l'Upper West Side et à Williamsburg, ou les Italiens à Little Italy (Manhattan) mais surtout dans le Bronx. D'autres sont là où on ne les attend pas. Ainsi, Chinatown rassemble un grand nombre d'Asiatiques, mais le quartier est désormais passé derrière celui de Flushing, dans le Queens. Il existe aussi de plus petites enclaves, tout aussi pittoresques, tels la Little Odessa ukrainienne de Brighton Beach, Koreantown le long de la 32nd Street, les quartiers caribéen autour de Flatbush à Brooklyn, dominicain dans le Bronx, sénégalais sur la 116th Street, entre les Nicholas et 8th Avenues, turc, aussi à Brighton Beach, brésilien à Astoria, dans le Queens, etc.

Une cuisine cosmopolite

Il n'existe pas de cuisine new-yorkaise. Les quelque 20 000 restaurants de la ville proposent aussi bien une cuisine américaine, qu'italienne, juive, ukrainienne, irlandaise, coréenne, chinoise, cubaine… Les influences se mêlent pourtant, donnant naissance à de nouveaux genres. Et, depuis toujours, hamburgers, hot dogs ou bagels, cookies, muffins, cheesecakes, glaces et autres douceurs font le plaisir des nombreux adeptes du pique-nique !

Économie et finances

New York doit son développement rapide à la situation exceptionnelle de son port et à l'ouverture du canal Érié. Aujourd'hui, son activité portuaire est réduite à quelques quais.

L'immobilier et l'industrie

Le secteur du bâtiment s'est toujours bien porté. Les années 1950-1960 visèrent à supprimer les taudis et à créer de vastes ensembles, tout en poursuivant les travaux de voirie, d'entretien des ponts et des lignes de métro. Les décennies suivantes ont cherché à préserver le patrimoine ancien. La spéculation concerne maintenant les friches industrielles et portuaires situées au-delà de l'East River. Du fait du coût des loyers et de la mondialisation, les industries sont parties de New York et les emplois ont baissé de moitié depuis 1950. La confection existe encore dans le Garment District, mais elle se limite de plus en plus au haut de gamme. Le haut niveau de formation des habitants de la ville et des immigrants a favorisé le développement des technologies de pointe, du médical et de l'informatique. L'alimentaire, la mécanique haut de gamme et la chimie se maintiennent.

Presse et divertissement

New York est un bastion de la presse écrite, synonyme d'indépendance d'esprit. La ville est le siège de 15 journaux quotidiens, de 350 magazines, d'agences de presse ou de photo, de 4 chaînes nationales de télévision et d'une foule de chaînes câblées. De grandes maisons d'édition résident également dans cette ville où la « matière grise » a toujours été abondante. D'innombrables congrès et séminaires s'y déroulent. Une industrie du divertissement s'est constituée au fil des ans, dans les nombreuses salles de concerts, les théâtres et les cabarets. Et New York possède quelques-uns des plus beaux musées de la planète.

Wall Street et la finance

Le New York Stock Exchange (NYSE), surnommé « Wall Street », est le symbole du capitalisme et le principal marché mondial des valeurs boursières. Les nombreux courtiers traitent quotidiennement 42 milliards de dollars de valeurs. Une grande partie de la finance internationale passe entre leurs mains, acquittant au passage des sommes considérables, lesquelles, en cascade, irriguent les circuits économiques de New York, dont les professions rattachées à la finance, les compagnies d'assurances, de conseil, d'expertise comptable, d'import-export, etc. Ces emplois créent et entretiennent à leur tour des myriades de services à tous les niveaux de la cité. Ce monde de la finance fut toutefois durement ébranlé par la crise de 2008 qui engendra une prise de conscience sur la nécessité de réguler les activités financières.

Architecture et urbanisme

À la recherche d'un style

Les Hollandais ont ébauché une ville, les Anglais font de New York un comptoir de l'Amérique du Nord. Pourtant, les maisons hollandaises aux avant-toits évasés s'alignent le long de rues boueuses, tout comme les édifices publics de style géorgien, avec leurs colonnades et leur fronton. Les colons, après leur victoire finale sur les Anglais, s'inspirent désormais de l'architecture de la Rome républicaine. Le **style fédéral** se caractérise par des constructions symétriques et carrées, une ornementation classique, des colonnes surmontées parfois d'un fronton et d'une imposte, ainsi que par l'utilisation de fenêtres en ellipse. Le maire De Witt Clinton (1769-1828) fait planifier le tracé des voies de circulation, avec des avenues en angle droit. Le Randel Plan, la fameuse « grille » de Manhattan, avec ses 2 028 blocs, est donc créé en 1811. Peu de temps après, le **style néogrec** (1820-1850) fait son apparition : emploi du marbre, frontons plus larges encadrés de colonnades de style dorique, ionique ou corinthien (Federal Hall). De nombreuses églises et des rues entières (Cushman Row) se construisent dans ce style relativement austère. Hélas, en pleine effervescence économique, la ville est soudain ravagée par un immense incendie (1835). Le **style néogothique** prend le relais. Il joue sur l'asymétrie, le pittoresque, la profusion de tourelles, de créneaux, de

fenêtres étroites et oblongues. Il envahit les hôtels particuliers, privilégiant les pignons finement ouvragés, les flèches et les gargouilles. Un excès, une enflure de fin d'époque victorienne aboutit au **style Queen Anne**, où se surajoute un amoncellement d'ornementations (1880-1905). Avec une combinaison des influences japonisantes, voire byzantines, on arrive à une architecture étrange qui vire parfois à la réminiscence médiévale, c'est le **style néoroman** : tours massives, lourdes arches semi-circulaires en pierre de taille, bas-reliefs, copies de grilles en fer forgé.

Influences et éclectisme

Parallèlement aux tendances romantico-gothiques, certains architectes se tournent d'une part vers l'Italie, d'autre part vers Paris.
Le **style italianisant** (1840-1880) tire élégamment parti de l'emploi de la fonte en architecture : allure rectangulaire, perrons surélevés, fenêtres hautes et étroites, finement arquées et parfois ouvragées. Dans la partie sud de Manhattan, l'utilisation de la fonte permet, toujours avec une ornementation italianisante, de construire des immeubles plus hauts, annonçant les premiers gratte-ciel. On expérimente l'assemblage de pièces en fonte préfabriquées, entre lesquelles se glisse le verre… Les maisons peuvent également se revêtir d'un grès bon marché, couleur chocolat, qui leur

vaut leur surnom de *brownstones*. Par extension, on appliquera aussi ce terme aux habitations des mêmes quartiers construites en brique ou dans une autre variété de pierre.

Le **style Second Empire** (1860-1880) français influence aussi New York où fleurissent désormais les toits couverts de zinc et les mansardes. Ce genre est relayé par le **style néoclassique ou Beaux-Arts**, inspiré par Paris, avec de majestueuses réalisations où les arcades ménagent de monumentales entrées bordées de colonnes et de statues (New York Public Library).

À la conquête du ciel

La vraie révolution ne viendra pas du style, mais de l'objectif affiché de monter le plus haut possible vers le ciel. Car, si la motivation initiale est spéculative – construire le plus possible sur le plus petit espace disponible –, force est de constater que c'est là que s'opérera la rupture radicale avec le passé. En 1857, Elisha Otis invente l'ascenseur. L'American Institute of Architects est créé à New York la même année. Peu après, une école particulièrement innovante ouvre à Chicago et construit le premier gratte-ciel. À New York, le Flatiron Building (1902) annonce le début des gratte-ciel. Ainsi se constitue ce profil si particulier en dents de scie, ce fameux *skyline* qui donne à Manhattan son style au-delà des modes. Les gratte-ciel poussent comme des champignons tout au

long du 20e s. Une nouvelle mode européenne s'impose, l'**Art nouveau** suivi en 1925 du **style Art déco**. Ce dernier favorise les décrochements, les jeux sur les harmonies verticales, les revêtements de pierre et de briques vernissées ou de métal (Chrysler Building, Empire State Building). Après la Seconde Guerre mondiale, en réaction à ces exubérances, on construit des immeubles de **style dit international,** aux lignes dépouillées, aux plans rectilignes, aux parois de verre (siège de l'ONU, MoMA). Les deux dernières décennies du 20e s., baptisées **postmodernes**, accentuent le travail sur le verre, qui se colore, s'irise, la pierre effectuant un retour remarqué dans le pavement des esplanades et des atriums (World Financial Center, World Trade Center, Guggenheim Museum, Whitney Museum).

131

Le XXIe siècle

L'effondrement du World Trade Center, en 2001 a marqué un tournant pour la ville. Outre la construction symbolique de la future Freedom Tower, c'est tout l'horizon de New York qui se redessine. La fermeture progressive des grands espaces portuaires laisse d'immenses terrains vierges que chacun entend développer. Et les rives de Brooklyn et du Queens, avec vue sur les tours de Midtown, devraient accueillir les prochains projets. Reste le problème des transports à résoudre dans cette ville qui ne cesse de grandir.

Art moderne et contemporain

Jusqu'au début du 20e s., la peinture américaine se cherche, tournée vers la nature ou la société humaine.

Le groupe des Huit

C'est en février 1908 qu'un coup de tonnerre amplifie la révolution impressionniste en Amérique. Sept jeunes peintres, réunis autour de Robert Henry, exposent à la Macbeth Gallery. Ils peignent la fumée et la crasse de la ville, la concupiscence, le harassement des ouvriers et prouvent que l'on peut faire du beau avec la sueur et les larmes, d'où le surnom d'Ashcan School (école de la poubelle). Ce mouvement est suivi d'un tumulte artistique qui trouvera son apogée à l'Exhibition of Independent Artists (1910) et surtout à l'Armory Show (1913), la plus importante exposition d'art jamais tenue aux États-Unis.

L'avant-garde américaine

Marcel Duchamp y présente son *Nu descendant un escalier* qui fait scandale parmi le public, mais conforte ses collègues peintres dans leurs recherches. Durant quelques années cruciales, la galerie d'Alfred Stieglitz, sur la 5th Avenue, expose Georgia O'Keeffe, Arthur Dove, premier artiste abstrait américain, Charles Demuth et Charles Sheeler, adeptes de l'hyperréalisme citadin et précurseurs d'Hopper.

Les grandes figures

New York est soudain mise en lumière par Edward Hopper dont l'œuvre est une remarquable méditation sur la vie moderne. Durant la Grande Dépression, Thomas Benton, Grant Wood, Reginald Marsh, Ben Shahn, John Curry remettent en cause l'*American Way of Life*. En 1936, Mark Rothko, Arshile Gorky, Willem De Kooning, Robert Motherwell et Jackson Pollock se regroupent au sein des American Abstract Artists (AAA). Ils constituent, après 1945, la première école de peinture de portée internationale, l'expressionnisme abstrait, dite aussi « école de New York ». Bénéficiant de l'apport des nombreux artistes européens de renom réfugiés outre-Atlantique durant la guerre, tels Léger, Miró ou Ernst, ils bouleversent le paysage artistique. En 1958, Leo Castelli ouvre dans l'Upper East Side sa célèbre galerie, qui devient le lieu où se font les réputations et où se règle le cours des œuvres. Une nouvelle génération d'artistes voit le jour. Andy Warhol et le pop art (♧ *voir ci-après*) bouleversent l'art contemporain qui se déplace dans la rue. New York a désormais sa place dans le marché de l'art comme le montrent les lieux publics ornés d'œuvres de Dubuffet, Tony Rosenthal, Henry Moore, Jim Dine, Fritz Koenig ou encore Milton Hebald.

Andy Warhol et le pop art

Le pop art

Roy Lichtenstein, Robert Rauschenberg, Jasper Johns et surtout Andy Warhol et la coterie branchée qui fréquente sa Factory sont les acteurs d'un phénomène qui brouille durablement les cartes du paysage artistique new-yorkais et même mondial. Avec le pop art, ils forment, entre autres, le moteur d'une machinerie spéculative effrénée qui fait de New York la capitale mondiale du marché de l'art.

Le pop art fait du quotidien le thème favori des peintres. En s'inspirant très nettement de la publicité pour laquelle ils ont travaillé, de la bande dessinée, des faits divers, Andy Warhol et Roy Lichtenstein marquent profondément leur époque. Ils font partie des plus célèbres artistes du pop art. Ils s'attachent aux objets de la vie réelle, flambant neufs, faciles à reproduire, et traitent de façon mécanique et répétitive leurs sujets, mêlant les couleurs en une subtile harmonie.

Andy Warhol (1928-1987)

Il débute comme dessinateur publicitaire pour des magazines tout en s'occupant de la mise en valeur des vitrines d'un grand magasin. Il réalise très vite ses premiers tableaux, s'inspirant de la bande dessinée. Ses bouteilles de Coca-Cola et ses boîtes de soupe Campbell's remportent un vif succès. Il se lance alors dans la sérigraphie qui lui permet de reproduire à l'infini les thèmes choisis. Et c'est la consécration. Un loft, le Factory, lui sert de lieu de travail. Une multitude de collaborateurs l'aident à réaliser ses œuvres à partir de ses esquisses. Froid, cynique et intelligent, il est adulé par la jet-set new-yorkaise, mais aussi par le New-Yorkais de la rue qui se sent concerné par les thèmes explorés. Il entreprend toute une série de portraits devenus célèbres. Marilyn Monroe, Elvis Presley, Jackie Kennedy, Mao Tsé-toung, Lénine mais aussi Mona Lisa ou des fleurs en gros plans se multiplient à l'infini, dans des tonalités variées. Passionné par l'outil cinématographique, il réalise de nombreux films d'art dans lesquels ses personnages improvisent.

133

L'après-pop art

La folle escalade des prix, la nature ou la qualité inégale des expositions qui se succèdent à marche forcée forment une bulle où s'engouffrent les investisseurs. L'art devient snob et sa qualité s'en ressent. De cette effervescence jaillissent de temps à autre des perles, tel Jean-Michel Basquiat (1960-1988) dont le génie rageur et halluciné, synthèse des apports pluriethiques et du pop art, le fait émerger des nombreux artistes de rue qui illustrent de fresques et de tags les murs de la ville. Certains quartiers populaires (Harlem, Bronx, Queens) se couvrent de fresques, devenant ainsi de véritables musées fragiles et éphémères.

Le mythe Broadway

Quand on parle de Broadway, on ne désigne pas seulement l'aire géographique du Theater District (quartier des Théâtres). Une quarantaine de salles de plus de 500 places, dont plus des deux tiers ne programment que des comédies musicales, composent le Broadway officiel, le « on ». On y joue les pièces à succès. Au-dessous de 500 fauteuils, les salles sont dites « off » et accueillent de jeunes auteurs. Pour les artistes, jouer à Broadway est synonyme de consécration.

Le théâtre

Eugene O'Neill (1888-1953), né à New York, est le plus célèbre dramaturge nord-américain. Toute sa vie, il a exploré les aspects les plus noirs de la condition humaine, ses pièces révélant un monde de marginaux et de désespérance. John Steinbeck, avec sa pièce *Des souris et des hommes* en 1937, est fortement applaudi par le public. Arthur Miller (1915-2005) écrit lui aussi des pièces fortes, comme *Mort d'un commis voyageur* (1949) et *Les Sorcières de Salem* (1953). Parmi les auteurs contemporains, Sam Shepard, écrivain, scénariste et acteur, est aussi un dramaturge en vue, depuis sa première pièce, *O! Calcutta*. August Wilson (1945-2005), deux fois récompensé par le prix Pulitzer pour *Barrières* et *La Leçon de piano*, a été un immense auteur afro-américain, décrivant en dix pièces la vie dans un milieu noir américain sur une

période de cent ans. Autre dramaturge majeur, née à Brooklyn, Wendy Wasserstein (1950-2006) fut lauréate du Pulitzer en 1989 pour *Chroniques de Heidi*.

Les comédies musicales

La section de Broadway située au niveau de Times Square est devenue un lieu mythique. La première comédie musicale, *The Black Crook,* est jouée à guichets fermés en 1866. Forts de ce succès, les producteurs développent ce genre de spectacle. Dans les années 1920-1930, les comédies se succèdent et leurs chansons deviennent de véritables tubes. Fred Astaire et Gene Kelly dansent sur les écrans de cinéma. Les comédies musicales atteignent leur pleine maturité en 1957, quand la pièce de Stephen Sondheim, *West Side Story*, dont la musique est composée par Leonard Bernstein, fait sa première au Winter Garden. Le mythe de Roméo et Juliette, transposé dans les quartiers populaires new-yorkais des années 1950, remporte un véritable succès. Particulièrement à la mode depuis quelques années, les comédies s'inspirent des films de Walt Disney comme *Le Roi Lion* ou *Mary Poppins,* mais aussi de thèmes très variés comme *Les Misérables,* adaptés d'un roman de Victor Hugo. *Cats* a été joué près de 9 000 fois depuis sa création en 1981. Aujourd'hui, *Gypsy*, *In the Heights* et *Mamma Mia* occupent le devant de la scène.

134

La littérature

Les écrivains nés ou ayant vécu à New York ne se sont pas toujours inspirés de leur ville. Il en est ainsi de Fenimore Cooper *(Le Dernier des Mohicans)*, Herman Melville *(Moby Dick)* et Walt Whitman *(Feuilles d'herbe)*.

New York pour inspiration

Dès le 19e s. cependant, Washington Irving écrit une *Histoire de New York* ; Stephen Crane rédige ses *New York City Sketches* ; Edith Wharton fait de superbes descriptions de la haute société de l'époque dans *Chez les heureux du monde* (1905) et *Le Temps de l'innocence* (1920) ; Zelda et Scott Fitzgerald tentent de préserver l'héritage des Années folles (*Gatsby le Magnifique*, 1925).

Manhattan, ville noire

Avec *Manhattan Transfer* de John Dos Passos naît la littérature new-yorkaise du 20e s. comme ce fut le cas en Europe avec *Ulysse* de James Joyce et *Voyage au bout de la nuit* de Céline. *Manhattan Transfer* est un livre total, bouleversé par les rythmes du jazz et le monde éclaté de la peinture cubiste. New York apparaît comme une machine bien huilée, où règne le chaos. Une forme de littérature tente alors de donner un sens à ce désordre : le roman noir et le polar. *Nécropolis* de Herbert Lieberman (1991), *L'Aliéniste* de Caleb Carr (1995) ou *Bone* de George Chesbro (1993) redonnent cependant espoir en l'humanité. Dashiell Hammett, père du grand Sam Spade, l'un des privés les plus emblématiques (*Le Faucon maltais*, 1929), décrit comme nul autre la pourriture de la ville en un style dépouillé. Chester Himes inaugure avec sa *Reine des pommes* (1958) les balades dans Harlem des flics noirs Ed Cercueil et Fossoyeur Jones.

Au-delà des genres

Très tôt, écrivains et poètes se rencontrent pour échanger leurs idées. Greenwich Village accueille Mark Twain, Henry James et Melville puis le dramaturge Eugene O'Neill, la poétesse Edna St Vincent Millay, Theodore Dreiser et Thomas Wolfe. Dylan Thomas est suivi de la Beat Generation, William Burroughs, Allen Ginsberg et Jack Kerouac. Le plus célèbre de ces cercles sera l'Algonquin Round Table, du nom d'un bar d'hôtel, où les membres de la prestigieuse revue *The New Yorker* font et défont les réputations. Des lectures publiques ont lieu dans des cercles culturels et des prix littéraires sont remis : le Pulitzer Price et le National Book Award. Certains auteurs restent loin des médias tel le regretté J.- D. Salinger, auteur de *L'Attrape-cœur* (1951-2010). Quant à Philip Roth, Tom Wolfe, Truman Capote, Toni Morrison, Hubert Selby Jr., Bret Easton Ellis, Jay McInerney ou Paul Auster, ce sont de très grands écrivains new-yorkais, qu'on ne peut classer en fonction d'une communauté ou d'un genre particulier.

Filmer New York

Au début du cinéma, le trust Eastman-Edison tourne ses films dans l'agglomération new-yorkaise, mais, en 1908, ses concurrents partent pour Hollywood, où les prix sont inférieurs et l'espace plus vaste. Pourtant, New York reste une cité foncièrement propice au cinéma. Il suffit de parcourir ses rues pour avoir envie de fixer sur la pellicule mille lieux magiques, depuis ses gratte-ciel jusqu'à Central Park, en passant par les scènes de rue si typiques de Little Italy, Chinatown ou Harlem. New York est et demeure le théâtre de nombreux films et séries télévisées.

Une industrie du cinéma

Malgré les attraits de Hollywood, des cinéastes indépendants choisissent très vite de travailler à New York : John Cassavetes, Abel Ferrara, Amos Kollek, Jim Jarmusch, Spike Lee, Martin Scorsese et Woody Allen, chantre de Manhattan. La création en 1947 de l'Actors Studio à New York marque un tournant dans l'histoire du cinéma new-yorkais. Il en sort une pléiade de vedettes, dont Marlon Brando, James Dean et Robert De Niro, acteur fétiche de Martin Scorsese. La ville abrite quelques-unes des meilleures écoles de cinéma du monde – la Tisch School of the Arts, la School of Visual Arts, la New School ou les départements spécialisés de Columbia University – ainsi que le Museum of the Moving Image dans le Queens. La distribution a également

fait des progrès spectaculaires. Des salles d'une grande capacité, luxueuses et bien équipées, ont fleuri et de nombreux festivals attirent les amateurs, dont le Dance on Camera (janvier), le Williamsburg Film Festival (mars), le Tribeca Film Festival, animé par De Niro (mai), le Lesbian & Gay Film Festival (juin) et le Human Rights Watch Film Festival (juin).

Du cinéma à la télévision

La renaissance des anciens studios de cinéma de New York doit beaucoup à la télévision, dont les studios ont prospéré en ville. Les séries cultes comme *Friends*, *Sex in the City*, *The Sopranos*, ou encore *NYPD* sont très regardées et font l'objet de véritables pèlerinages sur les lieux de tournage.

Des sites mythiques

Le cinéma new-yorkais conserve quelques images fortes. King Kong escaladant l'Empire State Building est devenu l'un des symboles de la ville. Dans un style haletant, Hitchcock met en scène Cary Grant tentant d'échapper à ses poursuivants au Plaza Hôtel (*La Mort aux trousses*, 1959), tandis que Dustin Hoffman court autour du Reservoir de Central Park (*Marathon Man*, 1976). Un climat plus romantique flotte autour de Woody Allen et Diane Keaton devant la fontaine de Bryant Park, dans *Manhattan* (1979).

New York et la musique

Musique classique...

Outre la Metropolitan Opera House, la ville dispose du Carnegie Hall et du Lincoln Center. Les plus grands solistes et chanteurs d'opéra s'y produisent régulièrement et des compositeurs renommés tels Anton Dvořák et Tchaïkovski ont dirigé le New York Philharmonic Orchestra, l'une des meilleures formations mondiales.

Le symbole de l'Amérique

Mais c'est le jazz qui symbolise le mieux la culture américaine. Si cet art populaire est né à La Nouvelle-Orléans à la fin du 19e s., New York accueille les meilleurs de ses créateurs. Boîtes de jazz et dancings fleurissent dans les années 1920 à Harlem. Le Cotton Club, sur Lennox Avenue, reçoit Duke Ellington, Count Basie, Cab Calloway. En 1924, George Gershwin crée sa pièce de style jazz, *Rhapsody in Blue*. Plus tard, la 52th Street concentre les clubs importants, mais sans détrôner Harlem où Ella Fitzgerald triomphe en 1935. Le gospel fait vibrer les églises new-yorkaises de ses rythmes entraînants. Lester Young et Coleman Hawkins font les beaux jours de la période swing à New York. De 1945 à 1948, la révolution be-bop, par Dizzy Gillespie et Charlie Parker, déferle sur la ville. C'est dans son lit que se prépare le jazz moderne, celui des génies, Thelonious Monk, John Coltrane, Miles Davis. C'est à New York que se recrutent les adeptes du free-jazz des années 1960-1970, avant la période contemporaine où le jazz s'assagit. Aujourd'hui, toutes ses formes se retrouvent à New York, depuis les plus conventionnelles au Lincoln Center jusqu'aux clubs branchés, en passant par les nombreux festivals d'été en plein air.

Rock, folk, punk, rap...

Si le Velvet Underground reste l'étendard, quelques formations rock new-yorkaises ont pu ou peuvent également rivaliser avec les groupes anglais, dans des styles divers (Ramones, New York Dolls, Sonic Youth, The Strokes, Pavement, Interpol et plus récemment les très « hype » MGMT et Vampire Weekend). Patti Smith et Lou Reed, ont, de leur côté, apporté une touche poétique à la brutalité du rock ambiant, et des studios d'enregistrement de qualité attirent régulièrement des artistes de renom. Par ailleurs, la ville inspire nombre d'artistes aussi variés que Tom Waits, Bob Dylan, U2 ou Simon & Garfunkel qui la célèbrent dans leurs chansons. *New York, New York* (chantée par Liza Minnelli) reste la plus fameuse d'entre elles. New York est également la ville des rappeurs et des adeptes du hip-hop (Jay-Z, Nas, Mase, Public Enemy) qui portent cette marque des rues, en résonance avec les tagueurs. Le rap se donne désormais en spectacle dans les artères touristiques de Manhattan.

Symboles

A-B

C

D-E

F

139

N

O-P

Q-R

S

T

U-V

W

Collection Le Guide Vert sous la responsabilité d'Anne Teffo

Édition	Françoise Rault, Luc Decoudin
Rédaction	Christine Barrely, Victoria Jonathan, Laurence Michel, Pierre Sans
Cartographie	Stéphane Anton, Alain Baldet, Michèle Cana, Thierry Lemasson, Marc Martinet, Aurélia Tanaka, Peter Wrenn, Isabelle Delouvy Plan détachable réalisé d'après les données TeleAtlas. © TeleAtlas 2010
Conception graphique	Laurent Muller (couverture et maquette intérieure)
Régie publicitaire et partenariats	michelin-cartesetguides-btob@fr.michelin.com *Le contenu des pages de publicité insérées dans ce guide n'engage que la responsabilité des annonceurs.*
Remerciements	Didier Broussard, Marie Simonet
Contacts	Michelin Cartes et Guides Le Guide Vert 46, avenue de Breteuil 75324 Paris Cedex 07 📞 01 45 66 12 34 - Fax : 01 45 66 13 75 cartesetguides.michelin.fr
Votre avis nous intéresse	Rendez-vous sur votreaviscartesetguides.michelin.fr

Parution 2011

Et en complément de notre guide,
ᘔ créez votre voyage sur **Voyage.ViaMichelin.fr**

Manufacture française des pneumatiques Michelin
Société en commandite par actions au capital de 304 000 000 EUR
Place des Carmes-Déchaux - 63000 Clermont-Ferrand (France)
R.C.S. Clermont-Fd B 855 200 507

Toute reproduction, même partielle et quel qu'en soit le support,
est interdite sans autorisation préalable de l'éditeur.

© Michelin, Propriétaires-éditeurs
Dépôt légal 12-2010 – ISSN 0293-9436
Compograveur : Nord Compo, Villeneuve-d'Ascq
Imprimeur : IME
Imprimé en France : 01-2011

ViaMichelin

Evitez les bouchons avec ViaMichelin Trafic pour iPhone

Téléchargez gratuitement ViaMichelin Trafic sur votre iPhone et accédez en un clic à l'information trafic en temps réel sur le territoire français :

- **conditions de circulation,**
- **aspects de sécurité** (bouchon, trafic ralenti, etc.),
- **imprévus de la route** (accidents, travaux, etc.),
- **affichage de tous les radars fixes.**

Depuis un iPhone ou un iPod Touch :
Tapez « ViaMichelin » dans App Store pour accéder à l'ensemble des applications ViaMichelin. Le téléchargement nécessite de posséder un compte iTunes.

MICHELIN
Une meilleure façon d'avancer